As Horas Nuas

Coleção Lygia Fagundes Telles

LIVROS DE LYGIA FAGUNDES TELLES
PUBLICADOS PELA COMPANHIA DAS LETRAS

Ciranda de Pedra 1954, 2009
Verão no Aquário 1963, 2010
Antes do Baile Verde 1970, 2009
As Meninas 1973, 2009
Seminário dos Ratos 1977, 2009
A Disciplina do Amor 1980, 2010
As Horas Nuas 1989, 2010
A Estrutura da Bolha de Sabão 1991, 2010
A Noite Escura e Mais Eu 1995, 2009
Invenção e Memória 2000, 2009
Durante Aquele Estranho Chá 2002, 2010
Histórias de Mistério, 2002, 2010
Passaporte para a China, 2011
O Segredo e Outras Histórias de Descoberta, 2012
Um Coração Ardente, 2012
Os Contos, 2018

Lygia
Fagundes
Telles

As Horas Nuas

Romance

Nova edição revista pela autora

POSFÁCIO DE
José Paulo Paes

COMPANHIA DAS LETRAS

Grafia atualizada segundo o Acordo
Ortográfico da Língua Portuguesa de 1990,
que entrou em vigor no Brasil em 2009.

CAPA E PROJETO GRÁFICO
raul loureiro/ claudia warrak
sobre detalhe de *O Beijo*, de Beatriz Milhazes,
1995, acrílica sobre tela, 192 x 300 cm. Coleção
Benedikt Taschen. Reprodução: Isabella Matheus.

FOTO DA AUTORA
Adriana Vichi

PREPARAÇÃO
Cristina Yamazaki/ Todotipo Editorial

REVISÃO
Ana Maria Barbosa
Angela das Neves

Dados Internacionais de Catalogação na Publicação (CIP)
(Câmara Brasileira do Livro, SP, Brasil)

Telles, Lygia Fagundes
As Horas Nuas : Romance / Lygia Fagundes Telles; posfácio
de José Paulo Paes. — 1ª ed. — São Paulo : Companhia das
Letras, 2010.

Nova edição revista pela autora
ISBN 978-85-359-1644-7

1. Romance brasileiro I. Paes, José Paulo. II. Título

10-02483 CDD-869.93

Índice para catálogo sistemático:
1. Romances : Literatura brasileira 869.93

2ª reimpressão

[2022]

EDITORA SCHWARCZ S.A.
Rua Bandeira Paulista, 702, cj. 32
04532-002 — São Paulo — SP
Telefone: (11) 3707-3500
www.companhiadasletras.com.br
www.blogdacompanhia.com.br
facebook.com/companhiadasletras
instagram.com/companhiadasletras
twitter.com/cialetras

Para meu filho Goffredo

Abrirei em parábolas minha boca
e dela farei sair com ímpeto
coisas ocultas desde a criação do mundo.
SÃO MATHEUS, 13:35

De tudo fica um pouco. Não muito.
CARLOS DRUMMOND DE ANDRADE

Sumário

As Horas Nuas

1

Entro no quarto escuro, não acendo a luz, quero o escuro. Tropeço no macio, desabo em cima dessa coisa, ah! meu Pai. A mania da Dionísia largar as trouxas de roupa suja no meio do caminho. Está bem, querida, roupa que eu sujei e que você vai lavar, reconheço, você trabalha muito, não existe devoção igual mas agora dá licença? Eu queria ficar assim quietinha com a minha garrafa, Ô! delícia beber sem testemunhas, algodoada no chão feito o astronauta no espaço, a nave desligada, tudo desligado. Invisível. O que já é uma proeza num planeta habitado por gente visível demais, gente tão solicitante, olha meu cabelo! olha o meu sapato! olha aqui o meu rabo! E pode acontecer que às vezes a gente não tem vontade de ver rabo nenhum.

Licença, Diú, não leve a mal mas vou ficar um pouco por aqui mesmo, bestando no espaço. Seguindo leve nessa órbita espiralada até pousar de novo no planeta azul. Acho mansa essa palavra, *pousar.* Mas tem que ser espaçonave, imagine se aquele avião pousou, está claro que comecei a gritar, Estamos caindo! Por favor, minha senhora, fique calma, pediu a comissária de bordo me agarrando com seus dedinhos de ferro e fazendo aquela cara suave. Tenho ódio de comissária de bordo, todas fingidas, Me larga! Já estava em prantos quando ela me entregou suavíssima nas mãos da amiguinha fotógrafa, clique! clique! Pouso péssimo, pose pior ainda, clique!

A atriz Rosa Ambrósio é carregada para fora do avião completamente embriagada. Primeira página. Ou segunda, enfim, não interessa. Um jornal que só se referia ao meu nome com palavras maravilhosas, ele me amava. O Douglas. Pai desse chefete rancoroso que herdou a empresa. O querido Douglas. Éramos jovens e só os jovens se encaram com o riso secreto que ninguém entende, testemunhas um do outro, é apenas isso, me via nele como num espelho. Posso começar assim as minhas memórias: Quando nos olhávamos eu via minha beleza refletida nos seus olhos.

Bebo devagar. O pano baixa devagar. Desconfio que essa ideia narcisista já andou numa peça, eu sabia o nome da peça, enfim, milhares de pessoas banais já falaram nessa banalidade. Um dia eu fico na praia. Mas fui verdadeira. Assumi minhas curtas verdades, assumi as mentiras compridíssimas, assumi fantasias, sonhos — como sonhei e como sonho ainda! Principalmente assumi o meu medo. Tudo somado, um longo plano de evasão fragmentado em fugas miúdas. Diárias. Que foram se multiplicando, não leio mais jornais, desliguei a TV com suas desgraças em primeiríssima mão, crimes humanos e desumanos, catástrofes e calamidades naturais e provocadas, Ah! um cansaço. Por que ficar sabendo tudo se não posso fazer nada? Posso dar água aos flagelados ressequidos? dar uma toalha de rosto aos inundados? Hein?!... As tragédias se enredando sem trégua. Não tenho culpa se tomei horror pelo horror conformado. A miséria paciente. Minha mulher, doutor, mais o meu filho com barraco e tudo. Nem o cachorro salvou, sumiu no meio da água, do barro... A Dinamarca envia caixotes de vacinas, o Papa pede a Deus em português. Lá do alto do palanque os políticos filhos da puta exigem providências, Meus irmãos, meus irmãozinhos! E os irmãozinhos continuam morrendo como moscas, Ah! querido Gregório, perdão, mas não suporto mais tanta miséria, merda! Fui batizada, catequizada, conscientizada e tudo isso para ter a certeza de que não sou Deus e mesmo que fosse. Estou ciente, e daí? Não, não adianta se revoltar, Gregório se revoltou, partiu para o confronto e acabou cassado, dependurado, torturado. Sua linda cabeça pensante levando choque, porrada. Atingido no que tinha de mais precioso. Ferido para sempre.

Tive homens, até que não foram muitos mas tive. Tudo somado, ficaram esses dois, Gregório. E Diogo. Sem falar naquela lembrança tão esgarçada, verdade ou invenção? Miguel.

Naquela altura não sei o que podia fazer senão beber, Gregório já tinha ido embora, acho mórbido dizer que ele morreu, ele foi embora e pronto. Diogo, esse foi embora andando. E de mal comigo, é tão antiquado dizer, ficou de mal. Ficou de bem. *O cravo brigou com a Rosa*, eu cantava na escola. Preciso aproveitar essa ideia nas minhas memórias, acho deslumbrante ver o Bem e o Mal — com letra maiúscula — confundidos numa coisa só, cozinhando no mesmo caldeirão. Quando deviam estar como o inocente par de bibelôs gêmeos na vitrine da mamãe, lembra? Dois gordos menininhos de cabelos encaracolados, cada qual na sua pedra, o cestinho de morangos no colo e o sorriso. Enfeitando a mesma prateleira, Deus do lado direito e o Diabo por perto com sua sedução sem intenção. Sem malícia. Quando falei com Diogo sobre o que representavam para mim os bibelôs gêmeos, ele me respondeu aos berros — ouvia jazz, o som altíssimo — que o menininho era um só, dois eram os chifres apontando por entre os caracóis.

Diogo, meu amor, fico me perguntando por onde você andará, onde? Jovem e lúcido, uma lucidez assim causticante, eu me embrulhava em tanta coisa e não sabia como sair dos embrulhos, O que eu devo fazer? perguntei tantas vezes. Ele ficava me olhando com aquela sua ironia meio divertida e, ao mesmo tempo, afetuosa. *Okey*, falei no tempo e vejo agora que com ele eu tinha o tempo diante de mim. O tempo diante de mim. Dizia que eu era uma burguesa alienada. Poderia ter dito, uma burguesa assumida porque nunca neguei minha condição. Tantos espelhos. Mas só agora me vejo, uma frágil mulher cheia de carências e aparências, dobrando o Cabo da Boa Esperança, já nem sei que cabo é esse, era a mamãe que falava nisso mas deve ter alguma relação com a velhice, Ô! meu Pai, que palavra desprezível.

Prefiro falar em madureza. Idade da madureza. Enfim, não tem importância, cumpri minha vocação, fiz o que pude. Ao contrário de Cordélia, pobrezinha. Minha filha, minha filha! eu gritei do alto do penhasco, era uma tragédia grega e meus vestidos despedaçados na ventania. Queriam que eu descesse do pedestal, pronto, desci, estou aqui no chão. Fecho os olhos e vejo minha filha passar boiando no rio do supérfluo, da espuma, cheguei a pensar que fosse ficar uma tenista, ganhou aí umas taças. E não aconteceu nada, zero. Depois se ligou em astronomia, Gregório e ela falavam horas seguidas sobre os astros, fiquei radiante, a mesma vocação do pai, mecânica celeste! Zero. Mas não é hipócrita como o Diogo que usa belos ternos de *tweed*, o melhor uísque, o melhor carro e tudo com aquele ar desleixado de quem não dá a menor atenção a essas frivolidades. O Diogo dos blues e dos sapatos italianos. Depois do sexo, me emprenhava pelo ouvido com suas fumaças intelectuais, Oh! *la busca de nuestra identidad cultural!*

Bebo em homenagem a *la busca*. Diogo, Diogo. Diante da morte de Gregório ele ficou mais convencional do que eu e chamou correndo um padre progressista, por que aquele padre? Gregório não acreditava em padres e vem um padre de jeans. Encomendou o corpo do meu amado, Amado, sim!, com tanta pressa. Deixou a moto lá fora, devia estar com medo que a levassem, uma tristeza. Quem teve a ideia de chamar esse padre? eu perguntei e o Diogo desconversou, também não acredita em nada e de repente.

Lembro da noite em que ficamos juntos e livres porque Gregório viajou com Cordélia, os feriados numa chácara. Bebemos, fizemos um amor lindo, dormi em estado de felicidade para acordar num susto, com Diogo em prantos e me pedindo que lesse os Mandamentos da Igreja. Era madrugada, eu estava no apartamento dele, mas onde ia achar agora um Catecismo com os Mandamentos da Igreja? Tentei dizer isso e ele chorando sem parar, era porre, tudo bem. Mas já vi que a antiga fé ressurge inteira quando ele fica criança de novo. Fácil de entender, a mãezinha levava o menino para os preparatórios da Primeira Comunhão, mas com que força essa coisa da infância às vezes reaparece. Diogo Torquato Nave, meu secretário, eu apresentava. E os homens e as mulheres olhavam para ele com respeito porque a beleza exige respeito.

Bombons, gracejos, flores. Foi me conquistando sem pressa, encomendação do corpo e conquista de mulher madura tem que ser devagar, ouviu, padre? Se possível, com certo romantismo, ele sentiu meu constrangimento, esta brutal diferença de idade, eu disse *brutal*?

Abro os braços, crucificada na roupa suja que espalhei pelo chão. O braço direito é o do Bem mas o outro, o pobre braço *gauche*. Os bibelôs gêmeos com seus morangos. Ou cerejas? Ah! que lúcida eu fico quando bebo, encho a boca, encho o peito e digo que a confusão vem de longe, Sodoma e Gomorra, hein?! Com o Anjo fugindo espavorido da população desenfreada, atirando pedras nele. E o Papa-Anjo lá em San Francisco tentando explicar aos *gays*. Aids. E daí? A delícia da vida sem delícias, também esta você quer me tirar? Eu ficaria com os que atiraram pedras ou com os outros que se ajoelharam? Não sei. Sempre que tenho que escolher me vem esta aflição, detesto escolher.

Ah! se a gente pudesse se organizar com o equilíbrio das estrelas tão exatas nas suas constelações. Mas parece que a graça está na meia-luz. Na ambiguidade. E até as estrelas, pobrezinhas, equilibradas mas tremendo tanto na solidão. Enfim, não tem importância, estou exausta. Exausta. *Nuestra identidad* naquela altura? As nuvens negras e o avião pinoteando feito louco. Turbulências. Não sei o que me restava fazer senão beber, gosto de nuvens mas daquelas bem branquinhas, não sou passarinho nem nada, me larga!

Procuro com a boca a boca da garrafa. Com a ponta da língua vou contornando o círculo de vidro amolecido — ou foi a minha língua que amoleceu? Assim viciosa eu o percorria inteiro, fala, Diogo, onde é que você está? Eu te amo. Agora que te perdi é que sei o quanto eu te amei — mas por que tinha que acontecer outra vez?

Clichê, eu sei, mas só damos valor às coisas depois que as perdemos, foi assim com Gregório. Foi assim com Diogo, é um lugar-comum mas sou uma mulher comum. Com as mesmas inquietações e os mesmos problemas — perdão, Gregório! com os mesmos teoremas daquela outra perguntando pelo amado das pernas de coluna, está na Bíblia. Mármore em base de ouro, ouro? Não sei, faz tempo.

Ele dizia *teorema* ao invés de *problema*, teorema é mais leve. E tem Deus na raiz, Teo. Tão estranho isso, o Gregório não acreditava em Deus mas parecia completamente impregnado Dele, eu o encarava às vezes e de repente sentia que Deus estava ali presente. Diogo também resistia mas era com Deus que ele se encontrava no auge da resistência. Uma resistência bem-humorada, diferente da resistência silenciosa de Gregório. Diogo esbravejava, fazia piadas, era irreverente até consigo mesmo, Veja que bonita a minha fantasia! disse e me mostrou um dia o retrato de um menino comprido e magrinho, de colante com enviesados coloridos e chapéu de dois bicos. Um Arlequim de meia-máscara preta, elegante, não fossem os velhos sapatões de lona. Mas por que esses sapatões? lamentei e ele começou a rir. A minha mãe comprou sapatilhas apertadíssimas, eu saía com elas mas levava as chuteiras escondidas no saco de confete, chegando na festa já fazia a troca. Até que esse retrato me flagrou, olha aí.

Arlequim polido pelo amor, eu disse e ele ficou me interrogando com aquele olhar dourado, dependendo da luz apareciam palhetas de ouro em suas pupilas. É o nome de uma peça de Marivaux, da escola francesa do século dezoito, ensinei e ele ficou balançando a cabeça perplexa, Ahhh... Do século dezoito? Finíssimo. Que cultura, Rosa Ambrósio, fala mais, por acaso você trabalhou nessa peça? perguntou e se ajoelhou rapidamente num só joelho, com mesuras de um pajem medieval para me beijar os pés.

Bati a cinza do cigarro em seus cabelos e rolamos em seguida pelo chão brincando de nos molhar com uísque e nos lamber depressa, não perder nenhuma gota, Aqui, minha velha!

Minha velha. Era brincadeira e não é brincadeira. Quero segurar a garrafa que me escapa por entre as roupas feito um peixe enguia, ah! peguei, digo e distendo o corpo num espreguiçamento que não acaba mais. Restou-me este prazer. E a pequena Ananta, essa analista idiota. Técnica do silêncio mas quando ela fala é para descobrir que o mel é doce. Entendi, minha querida, mas não entendo por que você quer tirar a minha única alegria.

Eis aí uma boa pergunta, dizem os políticos nojentos e não sabem responder a essa boa pergunta. Para ganhar tempo, fazem aquelas caras, disfarçam e falam em outra coisa. Nem a minha pequena analista sabe a resposta. Não tem importância, paro quando quiser, desintoxicação. Ginástica. Nem preciso de outra plástica, de novo o palco, aplausos. A glória. Amo a glória, sou um poço de vaidade mas digo que estou me lixando com essas futilidades, poso de artista solitária, me deixa em paz! Até que a vontade da luta me sacode e então saio desencadeada, de elmo aceso feito Joana d'Arc, tanta certeza de vitória, tanta coragem.

Acho deslumbrante essa coragem de abrir o peito e as veias, *Cavalgar triunfante sobre todos os azares! Okey,* Mister Shakespeare, mas agora eu queria ficar deitada aqui no chão. O escuro. A trégua. Não ver e não ser vista. Nas guerras antigas tinha essa hora de trégua e não eram bonitas? Hein?!... Aquelas guerras. Lentas e sentimentais com os violinos no fundo. Fáceis, a gente entendia tudo quando via no cinema, o sangue não esguichava com violência das feridas mas empapava as fardas devagar, quase delicadamente. Muita bandeira. Muita ambulância com a enfermeira loura de uniforme sem nódoas, eu não entendia tanta limpeza em meio de tanto sangue e lama. Tempo de muita roupa, o Gregório até riu porque não acabava nunca de desabotoar os botõezinhos cobertos de cetim do meu vestido de noiva. *Vestido de Noiva,* a peça foi um sucesso. Brilhei. Férias, vinho branco e ostras, Café Voltaire. Paris na Primavera.

— A senhora chamou? Escutei um chamado.

Cubro a garrafa que ela já viu, enxerga no escuro como os gatos.

— O Rahul estava miando tão triste...

— Já tomou leite. A senhora chamou?

— Não, Dionísia, faz um ano que não chamo ninguém. Mas não acenda a luz — peço e cubro a cara com um pano. — Trapos, querida.

— Não é trapo não, é a roupa que juntei e esqueci de levar. Desse jeito a senhora não vai se aguentar de pé. E já avisei que não posso mais levantar peso.

— Levantar peso, Diú? — repito me sacudindo de rir. — Diú, eu te quero tanto mas agora me deixa aqui quietinha, hein? Obrigada.

Sinto que ela me pulou quando passou para o outro lado, não me respeita mais, ninguém me respeita, não tem importância. Quando saiu me pulou ainda uma vez, Eu lavo as mãos.

— Adeus, meu amor! — fico sussurrando. Sou a jovem enfermeira apaixonada pelo soldado que saltou dentro da trincheira do inimigo num corpo a corpo que só arrefeceu quando o outro usou a baioneta, haaá!... Então o meu menino-soldado foi tombando de costas, o olhar tão espantado, nessas guerras todos morriam de olhos abertos, no auge do espanto. Estou no hospital recebendo um ferido na padiola quando me veio o pressentimento, temor e tremor. Desfaleço.

Tantos pressentimentos no ar. Vozes. A voz da mamãe vem numa aragem de cinzas, A fita é de guerra, Rosa? O cinema lotado. Na tela, lama, piolhos e bombas. Aqui embaixo tinha cheiro de pé. Alguém não lavou o pé, avisou mamãe. Era uma vidente com olfato de vidente, eu empalidecia quando ela sondava o ar pesado de mensagens sempre dramáticas: o céu podia estar azul, sem nuvens mas se ela sentia o cheiro de chuva, cedo ou tarde a chuva caía fatal. O cheiro quente de vela anunciava no ar alguma morte, quem? Podia não dizer mas intuía qual seria o futuro morto e não se enganava. O adocicado cheiro de casamento a fazia sorrir, gostava de festas. Uma tarde nos perdemos num bairro afastado enquanto ela procurava o endereço da costureira que ia fazer o meu uniforme de escola. Entramos numa rua de casario modesto, subimos por acaso uma ladeira e antes de lermos a placa com o nome da rua, ela parou. Dilatou as narinas. Estamos perto de um cemitério, avisou. Quase desmaiei de susto assim que dobramos a esquina e topamos com o muro cinzento debruado de ciprestes.

— Fomos felizes, hein, mamãe? — pergunto e estendo a mão para apertar a sua.

Prendas domésticas, a pequena Ananta anotaria na sua ficha, a analista gosta dos rótulos. Mulher-goiabada. E daí? Mexia tão contente o seu doce no fundo do tacho. Morta, não me pareceu triste mas apreensiva, na iminência de alguma descoberta. Os cheiros. Fui buscar correndo o vidro de água de lavanda que ela usava, espremi o algodão encharcado em redor da sua face, acendi o incenso perfumado, ah! mamãe. A minha única amiga. Mulher detesta mulher. Detesta. A pequena Ananta me fulminou com seu olhar terapêutico: Rosa, a que mulheres você está se referindo? perguntou. Ficou um instante limpando os óculos com o lencinho que tirou do bolso do avental. Quando me encarou novamente foi com expressão penalizada. Sim, Ananta, é claro que sou eu que me detesto. Como posso julgar as modernas comunidades de mulheres emancipadas, as deslumbrantes mulheres tão conscientes na virada deste século de merda, hein?!... Ela não me respondeu. Devia estar pensando que a burguesia não tem mesmo jeito. Concordo mas mulher detesta mulher, ainda aquele clima de competição com o rei reinando entre as odaliscas. Só essa história de mãe com filha é que funciona. Às vezes.

Enfim, não interessa, bobagem. Sei que eu tinha verdadeira paixão pela retrospectiva no cinema tão modesto com a fita do soldado-menino fumando na trincheira. O sol. O silêncio, tudo parecia tão calmo. Então veio a borboleta toda alegrinha, Olha a borboleta na cerca de arame farpado! A guerra era antiga, usava esse arame. Agarrei a mão da mamãe quando o soldado estendeu a dele, quis pegar a borboleta pelas asas, uma brincadeirinha. Abro a garrafa e encho a boca porque o inimigo enche o fuzil, o olho azul viu o mocinho levantar o corpo até alcançar a borboleta, quase gritei, abaixa! mas o olho fez a pontaria e tum! acertou em cheio.

Apalpo a trouxa de roupa, quero uma peça de algodão porque detesto enxugar a cara com seda e estou chorando feito uma vaca. Velharias. A Lili disse que não é bom sinal chorar por velharias, depois de uma certa idade a gente só deve chorar por coisas recentes. A partida de Gregório foi recente? Não sei, mas ele ainda estava por aqui quando Cordélia começou a andar com esses velhos, a gente conversava tanto sobre isso. E ele achando natural que a filha única, uma mocinha! A escolha é dela, dizia com aquela cara impassível, o cachimbo no canto da boca. As baforadas curtas. As respostas curtas, ah! vontade de esmurrar cara e cachimbo, mas então?... Permitir que uma neurótica — ora, neurótica sou eu, permitir que uma psicopata incapaz de escolher sua pasta de dentes, escolha o seu próprio destino. Eu quis dizer seu próprio amante mas tenho uma queda pelo estilo dramático, herança da mamãe. Ele esboçou o sorriso para dentro, odeio esse sorriso interior de sábio da montanha tendo que tratar com a formiguinha — ah, não, espera, o que estou dizendo?... Gregório, meu amor, me perdoa, sou uma bêbada podre num mundo podre, você sabe, o mundo apodreceu completamente. Até o mar, lembra? também talhou. As pessoas chafurdam no lixo e parecem contentes, não sentem o lixo aqui fora, o lixo no particular, pisam nele e não se importam. Os homens da limpeza não dão mais conta ou entraram em greve, a greve é geral.

A rua suja, o teatro sujo. A televisão. Começaram agora a usar crianças nos anúncios de máquinas, sorvetes, refrigerantes. As menininhas fazendo gestos e esgares sensuais de putas. Não tenho nada contra as putas mas não é um exagero tanta lição de putaria? O reino da vulgaridade. Nem quinze anos tinha Cordélia, nem quinze anos! e já começou a sair com a homenzarrada. Tudo velho. O sexo livre, abaixo as calcinhas! O louco livre, abaixo as grades! Aceito, nenhuma censura, longe de mim, hein?! Sou uma artista. Meu nome é Liberdade! bradei numa peça com a roupa da própria. Mas tenho uma modesta pergunta a fazer, será conveniente que a loucura e o sexo fiquem assim soltos na praça? O adolescente sem estrutura, o velho sem estrutura, o povo inteiro, meu Pai! O país da imaturidade. Gregório me olhava como se olha uma criança doente, lamentando mas mantendo uma certa distância, não interferia. Diogo interferiu até demais, dava opinião em tudo, me agredia sem a menor cerimônia, Sua puritana, sua reacionária!

Parece que está na moda esse tratamento de choque e foi assim que Diogo me tratou, trouxe até livros de Nietzsche. O poder da vontade, garota! Tentei convencê-lo de que já conhecia Nietzsche mas me desmascarou na hora, Conhece nada, faz como todo mundo que cita Proust, Guimarães Rosa e na realidade. Na realidade eu tinha que neutralizar o medo recusando a dor que desfibra e vampiriza, Vai, mulher, reaja! ele ordenava. Reagi atirando-me ao trabalho, aos esportes, fiz natação, pedalação, comecei a estudar papéis dentro da minha faixa etária, outra expressão ignóbil. Até que um dia nós dois caímos na risada quando descobrimos que Nietzsche, também ele, tinha medo.

A vaidade. A soberba. Só vaidade, montei no meu carro de nuvens e desfechei meus raios. Rua! eu disse. Ele foi. Fiquei sozinha com minha agregada negra. Com meu gato. Tenho minha filha mas é como se não tivesse, parece aquela poesia que o papai gostava de ler, *Nunca está onde nós a pomos e nunca a pomos onde nós estamos*. No caso, era a felicidade. E esse pai, por onde anda? Se é que ele ainda anda. Paradeiro desconhecido. Só se fala na decadência dos usos, decadência dos costumes, está na moda a decadência. Sou uma atriz decadente, logo, estou no auge. Não me mato porque sou covarde mas se calhar ainda me matam.

Cinquenta anos presumíveis, anotaria o solerte repórter policial. A vítima estava descalça, portava uma camisola de seda lilás e apresentava no corpo escoriações e manchas violáceas decorrentes das quedas, ela bebia e não acendia as luzes, preferia a penumbra. Enforcada na própria echarpe. As perfurações à faca foram encontradas no elemento de cor parda, vinte anos presumíveis. Trinta e cinco anos presumíveis tinha o elemento da Baixada Santista com cinco perfurações no peito feitas por arma de fogo. Era preto. Tinha dezessete anos presumíveis o elemento de cor branca portando calção de banho azul, o corpo em adiantado estado de decomposição apresentando quarenta e duas perfurações feitas com um objeto contundente. Terceiro Mundo. Presumivelmente.

Todo processo é lento, diz a pequena Ananta. Mas com o tempo as coisas vão se ajustando. A fase inicial de agressividade já passou, as mulheres agora estão evoluindo para um entendimento mais profundo no trabalho. No amor, prossegue ela tomando seu chá de jasmim.

Ananta, a Esperançosa. Aposta no futuro em geral e na televisão em particular quando aprova os programas educativos com o sexólogo de avental e bastão na mão apontando para o quadro com os grandes e pequenos lábios. Em cores. Para a alegria das crianças iniciadas que desmaiam no banheiro de tanto se masturbar. Quer dizer que é preciso começar com criancinhas? Ananta ajusta no pequeno nariz os pequenos óculos que escorregam, Sem dúvida, a iniciação sexual deve começar logo. Ursa Maior e Ursa Menor na constelação gregoriana.

A educação pelo rabo. Estimular os peitinhos liberados, os jeans tão colados que o fundilho se entranha na fenda e reparte o montículo lanhado ao meio, ai, ai, ai!... E quando o macho vem e esgana e estupra fazem então aquele beicinho, Eu não queria e ele enfiou o pepinão em mim! No plantão da delegacia do mulherio, a pequena Ananta está vigilante. A carinha severa, a caneta severa enchendo rapidamente as fichas, ela tem paixão por fichas. Já começou a última, Sua idade? A menininha disse o nome mas agora vacila na idade enquanto examina as unhas sob a crosta de esmalte rosa choque. Algum sinal do hábito da escrita nos dedinhos? Nenhum sinal, zero. Fica anotado na ficha, Treze anos presumíveis. Diz ter feito o curso primário mas provavelmente não passou do primeiro grau, acrescenta a letrinha miúda. Oferece o lenço de papel para a presumível vítima enxugar o olhinho vidrado de maconha, ah! meu Pai! Chega, estou exausta, não interessa.

Bebo sem vontade, por que estou assim amarga? Vai ver, é inveja, estou ficando velha e me ralo de inveja dos jovens que vêm cobrindo tudo feito um caudal espumejante, o ralador da inveja rala mais fundo do que o ralador de queijo. Inveja de Ananta, inveja de Cordélia — também de Cordélia? É claro, inveja de minha filha. Sou um monstro, digo e me cubro com uma blusa. Espera, não é tão simples assim, a verdade é que eu queria apenas uma filha normal — será pedir muito? Podia ser livre, podia morar longe com sua tropa de amantes, aceito. Mas não precisava ser uma tropa de velhos. Diogo tem trinta e quatro anos presumíveis, Cordélia é mais moça. Faz diferença porque sou mulher, hein?!... Nenhuma diferença, ela responde. Essa analista idiota aí em cima.

Fiquei uma esponja pingando fel e não queria isso, ah! mas o que fazem esses mortos que não ajudam? Mamãe, Miguel, tia Ana e mais aquele monte de parentes. Meu avô Júlio sabia tanta coisa e sua sabedoria se perdeu, morreu e ninguém aproveitou nada, há de ver que nem os mortos ficam sabendo do que acontece aqui, já puxei meu pai fujão pela manga, Se você morreu, me dê um sinal! Gostava de assobiar, o pobrezinho. Tinha um amigo dentista que se matou com um tiro na boca, sabia fazer mágicas. Era terrível quando brincava de cumprimentar estendendo a falsa mão de borracha que largava na mão da gente, eu gritava e jogava a mão longe. Melhor não mexer com ele, pode repetir a brincadeira. Mas e os outros? Gregório podia me ajudar *in memoriam* pelo tempo que me amou, sabia latim. Até grego. Mecânica celeste. Acho que andava triste comigo mas quem aprendeu tanto devia perdoar quem sabe tão pouco.

Sonhei, eu estava num castelo vazio dando para o mar. A noite negra. O vento. Me debrucei arquejante na janela com o mar embaixo todo encrespado, as ondas se atirando furiosamente contra os penhascos. Na crista da onda que estourou apareceu um peixe vermelho fumando cachimbo, gritei, Gregório! e despenquei no abismo, a onda me cobrindo inteira, Gregório! Me agarrei numa pedra e dali fui subindo pela encosta, perseguida pelo caçador que eu não podia ver mas que estava me vendo. O sangue gotejava dos meus joelhos, das minhas mãos e ia caindo nas pedras, marcando as pedras. Não, não adiantava fugir porque se o caçador que vinha logo atrás unisse com a ponta do dedo essas gotas, teria o meu rastro. Então o Diogo colou a boca no meu ouvido e disse, Segura a chave. Fechei a mão cheia d'água e acordei.

2

Amanhece. Cheiro de mel e leite de cabra. A imagem do menino passa por mim mais ligeira do que uma sombra. Cabelos escuros. Túnica branca. Sigo atrás pelo caminho que já conheço através de um furo no tempo, olho por esse furo e vejo grandes árvores. Um rio pardacento. O menino mergulha nessas águas. Ouço com alegria o ruído vigoroso das minhas braçadas, estou nu na correnteza. O bosque. Entrei no rio menino e dele saio um jovem, mas esse prodígio não me abala, só me ocupa um pensamento, o que vem pela frente? Enveredo por uma praça rodeada de colunatas. Vejo de relance a cara desgrenhada do vento, as bochechas enfunadas soprando com força os estandartes, há estandartes e flâmulas vermelhas na bruma seca da manhã. Chegam mais pessoas. Agora estou atento ao homem de toga de púrpura falando a dois jovens, sinto que a língua me é familiar mas não entendo o que dizem. Apareceu o sol e com ele a poeira dourada suspensa no ar. As vozes há pouco fechadas vão saindo das suas cascas e ficam mais quentes. Livres. Vejo um filete oleoso sendo colhido numa jarra, quero me aproximar e sou conduzido pelo vento até a escada de mármore com finos veios amarelos. Subo essa escada. Tudo parado. Quieto.

Entro emocionado na casa que reconheço, Não é minha casa? A minha casa. O átrio. O peristilo e o jardim todo florido, aspiro o perfume que me toma inteiro e prossigo no fascinante jogo de adivinhar o que já sei que vou encontrar adiante. A mesa com pés de bronze imitando patas de leão. No tampo de mármore há uma pirâmide de frutas despencando em cachos de uvas. O jarro de vinho e os copos. O som suavíssimo de uma cítara me faz parar, procuro ver o músico. E não consigo me afastar da janela que o vento escancarou para um pôr do sol vermelho. O vinho e a música me fazem girar por dentro num giro tão leve que desato a rir da minha dança imóvel. As batidas do meu coração ficam mais fortes. Para aplacá-las, procuro disciplinar a respiração recitando em voz alta, sou poeta. Mas não entendo o que digo porque uso a mesma língua enigmática que ouvi na praça. Quando as batidas no meu peito se aceleram quase insuportáveis, pressinto seus passos vindo por detrás.

Cravo o olhar no baixo-relevo da parede onde há um jovem seminu montado num touro, agarrando-o pelos chifres. Mais próximo o ruído das suas sandálias no mármore polido. Não me volto nem mesmo quando sua mão afasta o pano que me cobre o ombro. Beija esse ombro, me toma pela cintura e colado ao meu corpo ele vai me levando adiante feito um escudo. Tombo de joelhos no leito, os cotovelos fincados no coxim. Agora ele me agarra pelos cabelos e puxa minha cabeça. Vou cedendo, o pescoço distendido em arco. Ainda não posso vê-lo colado assim às minhas costas nem me esquivar quando sua boca voraz mordeu minha nuca, devo ter gemido porque em seguida a boca procurou suavemente a minha orelha, contornou a orelha com a língua. Levantei-me de um salto mas ele me tomou com a mesma ferocidade do jovem do baixo-relevo dominando pelos chifres o touro esgazeado. Minhas pernas vão vergando submissas, escorregadias. Deixei cair a túnica e agora estamos nus e calmos, o suor correndo e se misturando, É a primeira vez, eu quis dizer para justificar minha inexperiência. Não consegui falar, inundado de um gozo tão profundo que em meio do tumulto fui tomado por um sentimento de paz. Nossas mãos se buscaram e se entrelaçaram ao longo dos corpos num aperto forte. E de novo sua voz turbilhonada e os meus soluços explodindo sem motivo, desencontradas as falas mas os corpos se encontrando e se ajustando, Eu te amo.

O grito. Pelo funil desse grito escapei do meu corpo que prosseguia livre no seu ritmo de gozo mas agora sem mim. Fiquei aturdido, sem entender, mas o que estava acontecendo? Quando decidi me recuperar foi como se entre o meu corpo e entre mim mesmo se levantasse uma parede invisível, bati nesse vidro com os punhos desesperados, o que significava isso tudo? Ainda me via mas não me tinha, fui excluído para virar um pasmado espectador do corpo perdido. Que sem tomar conhecimento da minha presença, despossuído mas ativo, seguia atracado ao parceiro. Não me abandone! supliquei ao meu corpo ao tentar tocá-lo, tinha conseguido varar a barreira do ar. E meus dedos atravessaram os corpos porosos dos amantes tão inconsistentes como as nuvens. Fui recuando, assombrado. Lentamente a imagem dos jovens começou a se dissolver e evaporar como todas as coisas que vi antes, o bosque. O rio com o nadador menino indo na correnteza. A praça. O homem da toga de púrpura e o vento de bochechas lustrosas, soprando com fúria os estandartes. As cores escorrem confundidas como numa folha de papel mergulhada na água, escorreram os mármores. Escorreram os jovens num caldo cor de tijolo. A taça onde bebi é apenas um fiozinho de prata a se infiltrar no nada.

Digo adeus à casa romana com o visitante que nem cheguei a encarar, guardei seu cheiro. E a fugidia visão do seu corpo antes de se perder no meu, bem viva a imagem do jovem do baixo-relevo subjugando o touro. Com o reflexo móvel da minha boca no vinho roxo do copo que esvaziei.

Apertei meu peito inquieto com a palma da mão assim como faço agora. A diferença é que já não tenho mão à altura do gesto, mas uma pata. Veludosa. As unhas bem aparadas para não puxar o fio dos tapetes de Rosa Ambrósio.

— O Rahul devia arrumar um par de botas — disse o Diogo me agarrando pelo rabo.

O retrato desse *Gato de Botas* eu vi na capa de um livro lá na casa das venezianas verdes. A roupa do gato era de veludo cotelê verde com um cinto de couro e era belo o chapéu de feltro com a pluma vermelha na aba, eram histórias do tempo em que os animais falavam. É bom lembrar que numa outra encarnação fui aquele jovem romano mas hoje sou este gato que devia usar botas, na opinião de Diogo. Há pouco ele me puxou pelo rabo, até que a dor foi forte mas não soltei nenhum miado, quando fui aquele jovem eu também falei pouco.

A luz do sol trespassa violenta o vidro da janela. Aperto os olhos. O sol continua igual ao sol daquela praça e a lua é a mesma que vi com os antigos olhos humanos, e vejo com estes olhos de agora, as manchas não são pardas mas sanguinolentas, a lua verte sangue.

Foi numa manhã igual que o Diogo anunciou que os bichos só enxergam em preto e branco.

— É o que dizem as pesquisas.

Falsas, pensei. Rosona veio com seu *robe d'intérieur* e seu espelho de aumento que odiava mas não podia ficar sem ele. O espelho dos horrores, dizia. Agora o esqueceu por completo mas nessa época carregava o espelho para onde ia. Até largá-lo nas mesas, nas poltronas, grande parte do tempo passava procurando o espelho e algumas outras coisas que ia achando e perdendo.

— Ora, Diogo, você ainda acredita em pesquisa? Desde que o primeiro homem começou a envelhecer esses pesquisadores pesquisam a cura da velhice, a pior das doenças. Até o Diabo foi invocado mil vezes. Descobriram? Hein?!...

Contou que quando jovem fora convidada para fazer o papel de Margarida no drama de Goethe, participou de alguns ensaios. Desistiu, os atores que faziam Mefistófeles e o Doutor Fausto eram dois perfeitos imbecis, o diretor, um judeuzinho muito grosseiro e a cenógrafa, uma temperamental que interferia em tudo, Detesto lidar com mulher!

Diogo examinava o caderno de despesas da casa. Mordiscou a ponta do lápis, preferia usar lápis. E contar nos dedos, sem recorrer às maquininhas de calcular que Rosona comprava no *free shop* dos aeroportos quando voltava das suas viagens.

— Rosa Ambrósio da Fonseca. Pelo que entendi, ninguém prestava nessa peça, só você era magnífica.

Ela desviou o olhar alertado. Chamá-la assim solenemente pelo nome completo era a senha para o clima de provocação.

— Eu sou magnífica.

— Ahnn... Seu nome foi por causa do navio *Rosa da Fonseca*? Você sabe, era um famoso navio da nossa frota, já não existe mais.

— Antigo como eu, você quer dizer.

— Rosa, Rosae. Essa sua vaidade é inacreditável. Se você conseguisse pensar menos em si mesma, entende? Não pode ser bom viver assim em estado de apoteose mental, fala tanto em Deus, já leu o Eclesiastes? Meu pai sabia o Eclesiastes quase de cor, *De que vale a beleza, a sabedoria, a riqueza se tudo é vaidade e desejo vão!* Desconfio que você seria um sucesso no teatro nazista, isso se fosse aprovada nos testes arianos, não falei caprichado? Às vezes capricho.

— Sou branca pura, meu pequeno negroide.

— Você disse pequeno? — ele espantou-se. — Tenho quase dois metros, garota. E se prestasse mais atenção ao que eu digo ia se lembrar que minha família é de fidalgotes de Vianna do Castelo, o paizinho era português. Somou rapidamente nos dedos, anotou o total e voltou a encará-la. Parecia satisfeito com os cálculos ou com a resposta. E a mãezinha, aquela charmosa senhora que nos trocou, marido e filho, por um saxofonista, essa era descendente direta de austríacos. *Loura como os trigais maduros!* recitava a tia solteirona que a gente chamava de tia Alemoa.

Começavam mais ou menos assim as discussões entre os dois. E que podiam evoluir rapidamente para os palavrões entremeados de empurrões. Tapas. Ou ter o desfecho na cama. Os tapas vinham de Rosona, ele apenas se defendia agarrando-a pelos pulsos até vê-la sucumbida, desfeita em lágrimas. Por que não bateu em mim? Você devia bater em mim! ela choramingou numa das brigas mais violentas. Ele preparou-lhe um uísque com uma calma fatigada. Não queira fazer de mim o chicote para as suas culpas. Tem mais, Amar pai e mãe sobre todas as coisas! Não é o primeiro dos Dez Mandamentos? perguntou e ficou sorrindo enquanto deixava cair a pedra de gelo no copo. Com voz doce, sem rancor ela o corrigiu: Respeitar os pais, querido. Sobre todas as coisas é preciso amar a Deus.

Nessa manhã de céu azul e *robe d'intérieur* rosado, o tom conciliador partiu dela. Voltou a se examinar no espelho. Voltou-lhe o humor.

— Há de ver que quem tinha razão era aquele diretor implicante, eu era muito jovem e inexperiente, foi meu segundo papel. Me lembro que fazia tantas caras encarnando a pobre Margarida que por mim o Doutor Fausto não venderia ao Diabo nem o botão do colete, quanto mais a alma. Hein?!...

Era domingo. A noite seria de lua cheia, segundo Dionísia que servia no café da manhã pão feito em casa. Partiu ao meio o pão que tirou do forno e deixou a metade na minha vasilha. O cheiro de pão quente me levou a um tempo que eu sabia ser anterior ao período da minha casa romana, fiquei elétrico. Com ganas de me atirar ao pão, antiquíssimo o apetite. E comecei a mastigar lentamente, sem a menor pressa, a saliva abundante trabalhando cada migalha como se nela restasse algum resíduo desse tempo.

"Eu vi a vida nascer da morte", soprou uma voz. Fiquei em suspenso diante de duas grandes mãos da cor do ocre, trabalhando pacientes na argila como eu próprio trabalhara no pão. Assim que me aproximei elas se esvaneceram. Ficou a vasilha do gato com um pouco de farelo no fundo.

— São Lucas é o santo do dia — anunciou Dionísia cortando as laranjas para o sumo de frutas.

Diogo continuava enredado nos seus cálculos domésticos enquanto Rosona, excitada, procurava o anel de esmeralda que tinha esquecido não sabia onde. Só eu ouvi que São Lucas era o santo do domingo.

— Perdi meu anel, Diú! Aquela minha esmeralda...

— Não perdeu não, deve estar por aí mesmo.

Ela enlaçou Dionísia. Imobilizou-se de repente num susto: lembrava-se agora do sonho da véspera. Baixou a voz pesada de intenções. Era com a criada que gostava de perambular por essa zona incerta.

— Fecha a torneira, querida, escuta.

Acomodei-me na cadeira e escutei. Noite escuríssima. Viu-se nua em meio das trevas, mergulhada até o pescoço na água tão gelada que era como se estivesse num cubo de gelo. Começou então a chorar, chorar — e fez o gesto, roçando as pontas dos dedos nas faces, imitando as lágrimas que desciam sem parar. Lágrimas tão ardentes que aos poucos foram derretendo o gelo, varando a superfície dura até que a crosta se fez em pedaços e ela pôde se libertar aquecida, mas não fora mesmo uma coisa deslumbrante? Hein?!... Se salvar no próprio pranto.

Dionísia despejou o sumo em dois copos. Abriu a torneira e lavou pensativamente as mãos. Concentrou o olhar na pia. Pediu detalhes, e a água? Era suja ou limpa? Água corrente ou parada?

Fugi da interpretação e fui espairecer na saleta onde Diogo esqueceu o televisor ligado. Um cômico macaqueava um macaco sem a graça do macaco. Quando Rosona retornou à sala, eu dormia-acordado na minha almofada. Alisou o pelo do meu pescoço e disse que por falar em água, ia me dar um banho, eu estava com cheiro de jaula. Olhei-a nos olhos. Deslavada mentira mas deixei-me levar. E se apanhasse uma pneumonia? Se morresse? Na rota convencional das fitas fantásticas, toda fera maldita vira gente na morte. Assim que o policial se aproxima, a pantera ou lobo já é um homem estendido na calçada em meio da poça de sangue. Podia ser que na morte eu voltasse à casa romana, certamente corriam outras águas no rio onde nadei mas eu seria o mesmo. Aceitando com naturalidade os prodígios até chegar à minha casa no ocaso de vermelhidão e vinho. Reconhecendo dessa vez o amante que veio por detrás e tocou no meu ombro, Gregório.

Sair desta vida no nível do chão. Sem horizonte, fechado por muros, móveis, portas. A minha convivência com o rodapé. Com os sapatos, identifico os donos dos sapatos antes mesmo de encará-los ou de ouvir suas vozes. Rosona e sua mania com sapatos, compra dúzias deles, a maioria endurece intocada. No Verão, costuma circular descalça, tem pés bonitos assim como a filha que desce e sobe descalça pelos lances da escada que mandou atapetar. Gregório e seus sapatos gastos, as solas guardando o seu jeito de pisar um pouco para fora, de quem não quer ser notado. Você precisa comprar sapatos com urgência, Rosona repetia. Ele concordava, distraído. Diogo e seus belos sapatos italianos. Os sapatos sem salto da pequena Ananta. Os saltos altíssimos da Lili, que não se conforma em ter pés grandes e compra sempre um número menor para ficar depois se queixando de dor no calcanhar. As alpargatas limpas de Dionísia. Quando ela foi apanhar a roupa para vestir Gregório, ficou desolada. Olha só estes sapatos, ele não pode ir assim! Botou os sapatos no regaço e enquanto passava a graxa ia chorando em cima deles.

Pulo do colo de Rosona. Vou pisando pelos tapetes, almofadas quando fui feito para árvores, telhados. Mas já estou achando que é melhor pisar no conforto, engordei. Diogo também engordou, o que me deixa mais consolado. Rosona me agarra de novo. Sossega, Rahul, que não vou lavar o gatinho mais limpo do mundo, disse entrando na sala de banho. Fechou a porta e puxou acariciante a minha orelha, até o fim dos tempos terei alguém me puxando pela orelha ou pelo rabo. Subi no banco. Ela despiu-se e ficou nua diante do espelho. Já vi esse filme antes, Diogo costuma dizer. Corrigiu a posição dos ombros. Levantou a cabeça e com as mãos curvas, contornou os seios, tem seios de jovem, redondos. Firmes. Mas não está satisfeita, deviam ser mais altos. Assim?... experimentou ao levantar nas pontas dos dedos os bicos rosados. Irritou-se com o espelho que ousou fazer a exigência. Mas assim só com vinte anos! Fez caretas enquanto abria o armário espelhado. Da prateleira mais alta tirou a sacola de estampado vermelho-branco representando uma poética caçada. Desenfurnou os petrechos que já conheço e foi alinhando um por um no mármore da pia, a bisnaga da tintura de cabelo. O frasco de água oxigenada cremosa. A escova de cabo longo e fibras enegrecidas. Uma bisnaga que não usa nunca mas que sempre deixa aí enfileirada. E as luvas de plástico amarelo, manchadas de negro. Pegou o copo de gargarejo com os anjinhos esvoaçando no vidro. Piscou para mim através do espelho. Está me namorando, Rahul? Não posso, querida, você mandou me castrar, respondi. Descansei o focinho no banco acetinado, ela poderia me poupar. Mas quem não poupa nem a si mesma não iria agora poupar um gato.

Não sei por que esses bandidos tinham que nascer brancos, resmungou ela. Já estava de luvas quando mergulhou mais uma vez a escova na tintura do copo. Inclinou-se para a frente. Abriu as pernas e bem devagar foi passando a tinta nos pelos do púbis. Com a mão livre, abriu a caixa rosada no tampo de mármore e dela tirou um lenço de papel para limpar o fio de tinta negra que lhe escorria pela coxa, Ô! meu Pai!...

A espaçosa sala de banho tem o colorido de um jardim, é manhã mas as luzes estão acesas. Aqui é Primavera, dizem os azulejos com seus raminhos de flores-do-campo, os caules enfeixados num laçarote. O piso irregular de ardósia verde lembra um gramado. Brilham os frascos de cristal, os boiões de sais, os dourados dos espelhos e dentre todos o grande espelho ovalado com sua coroa de lâmpadas embutidas na moldura. Aperto os olhos feridos. Quando volto a abri-los, Rosona está posando de estátua diante do espelho coroado, os braços languidamente erguidos para prender os cabelos no alto da cabeça. Está sorrindo para a própria imagem que parece filtrar uma certa luz cálida, Sou o Outono, diria a imagem nua que se imobilizou no instante de perfeição, sim, uma bela estátua mas com o triângulo do púbis todo borrado de tinta negra, travessura de algum moleque obsceno que passou lambrecando as estátuas do parque.

Ouvre-moi ta porte, pour l'amour de Dieu! cantarolou com afetação, abotoando a boca até tocar no espelho. Pelo amor de Deus, repetiu e desviou o olhar para as luvas enxovalhadas, abertas no mármore. Calçou de novo as luvas e afundou devagar a escova na tinta do copo. Começou a retocar os cabelos grisalhos das têmporas. Sujou a orelha, limpou-a. Estava triste. A quem suplicara que lhe abrisse a porta? Aos dois, confundidos às vezes, mas com funções próprias. Recorria a Gregório nas suas crises místicas, quando se sentia abandonada por Deus e traída pelo próprio ofício ao qual dera o melhor de si mesma, gostava de repetir, Dei ao teatro o melhor de mim mesma! Era ainda Gregório que ouvia as queixas maiores pela traição de Cordélia, o avesso do modelo da filha que vem para acrescentar e não para diminuir. Nessas crises, ele era a rocha onde ela ia se estirar exausta. Exausta e esvaída, repetia muito isso. Na intimidade, dizia-se esbagaçada. Lamentando o silêncio desse sábio que a reconfortava com monossílabos. E ainda assim fornecendo alguma matéria para as suas entrevistas, quando ela acendia o cigarro e com voz impostada começava por dizer no mesmo tom dele, Na minha natureza mais profunda...

Caberiam a Diogo os temas e encargos de ordem terrena como a administração dos bens. E a programação de sua carreira de atriz indisciplinada, na linha dos bonitos, ricos e loucos. Negava ou minimizava os prazeres da cama com uma frase que ouvi mais de uma vez, Deus me deu a paz sexual! A alegria de viver, essa também era partilhada com Diogo que a fazia rir e chorar e rir enquanto teciam suas redes mundanas com algumas intrigas fechando o tecido. Influenciada por Gregório, implicava com a palavra *fofoca* que achava de uma vulgaridade atroz. Atroz, repetiu ela ao repórter que lhe perguntou se por acaso dava atenção às fofocas que se armavam nos bastidores. Você quis dizer, intrigas? Hein?!... A menor atenção. Nessa altura, se quiser posso até cortar batata cozida com faca. O repórter ignorava que cortar batata cozida com faca não era de bom-tom, mas entendeu que a atriz quis dizer que estava distante deste mundo com todas as suas pompas e glórias.

Antes da operação-tintura chegar ao fim, Rosona já estava exasperada. O copo de tinta tombou no mármore e ela gemeu. Não!... Quando a escova caiu, arrancou bruscamente as luvas e atirou-as dentro da pia, Bosta! Lavou as luvas. Lavou o copo, a escova. Devolveu os objetos aos seus lugares, apagando com a obstinada precaução de um criminoso os últimos vestígios de tinta. Quando viu tudo limpo, abriu o pote de creme que tinha o contorno de uma tartaruga na etiqueta dourada. Lambuzou as mãos, a cara. Sentou-se nua na borda do bidê. Acendeu um cigarro. Com a cara branca de creme e a auréola da cabeleira esgrouvinhada, escorrendo tinta, ficou um palhaço à espera da roupa para entrar no picadeiro. Assim que Diogo chamou avisando que Cordélia estava no telefone, ela levantou-se num susto. Enxugou com o lenço de papel uma gota negra que escorria sinuosa pelo meio da testa e abriu a ducha.

— Estou no banho, amor! Ligo depois.

Voltou amuada para o bidê, sentou-se e bateu a cinza do cigarro na gruta da mão. Ficou olhando com indiferença o jorro d'água quente que aparecia pela porta entreaberta do boxe. A minha filha, tão bonita, começou em voz branda. Onde é que eu falhei, meu Deus, me diga agora onde eu falhei! Adora velhos. Impotentes, velhos. E velho impotente só pensa em porcaria, hein?!... Nem trinta anos, no ânus não, não deixa, minha filhinha! suplicou baixando a voz e esfregando as solas dos pés na ardósia ondulada. Só sente prazer com velhos a minha linda filhinha. Não é uma anormalidade? pergunto e a pequena Ananta não me responde, faz aquela cara vaga e não fala, só ouve. Essa analista marca barbante. O outro também só ouvia, Gregório e ela são da mesma escola. Diogo é o único que me dá atenção, que me consola. Pelo menos com os velhos não há o risco de drogas, ele disse. Nem de aids, ô Deus! falando na minha filhinha como se ela fosse uma das suas vagabundas, o cínico. Mas a velharia poluída não vai se espairecer nas saunas? Hein?! Meu prazer está em lhes dar prazer, ela disse. E o pai pedindo que eu não interfira, Ela é livre, deixa que faça sua escolha. Deixei. Então, na surdina, ele foi saindo de cena, ah, sim, em certas ocasiões fica mais cômodo morrer.

— Os egoístas morrem primeiro — resmungou Rosona avançando até o espelho. Com as mãos em garra, abriu os cabelos e examinou as raízes.

Ela podia fazer essa tintura no cabeleireiro, seria mais simples. Mas se preocupa em não se entregar, elegeu as poucas pessoas nas quais confia e no círculo hermético entra este gato. Tem ainda a tintura dos pelos íntimos, vai precisar prosseguir nessa operação que detesta até o seu íntimo fim. Você não envelhece, hein?! perguntou e fez uma carícia na minha cabeça, mas está pensando em outra coisa. Atirou o cigarro apagado no vaso, baixou a tampa e sentou-se em cima. A hora do remorso. Não queria ter dito o que disse mas não foi mesmo uma coincidência? Gregório ter saído na hora exata, como se tivesse adivinhado que os pro... que os teoremas iam começar a desabar. A morte fácil.

Ficou atenta à voz de Maria Bethânia no toca-discos, É como um licor quente. A fisionomia se suavizou enquanto com o pé ia esfregando o pingo de tinta que descobriu na ardósia. Enlaçou os joelhos. O monólogo prosseguiu acobertado pela música, O pobrezinho. Nunca mais foi o mesmo. Saiu da prisão diferente, mais fechado, mais calado, ô! meu Pai, mas o que fizeram com ele!? Atingido no que tinha de mais precioso, a cabeça, sentia dores. A mão tremendo tanto, disfarçava quando acendia o cachimbo, o que fizeram?! perguntou e acendeu outro cigarro mas ficou olhando a brasa. Escrevia, amarfanhava e jogava no cesto, Por que você escreve e destrói em seguida? Ele sacudiu a cabeça, só rabiscos, não era nada. Nada. Diogo estranhou, Você que é tão curiosa nunca teve a curiosidade de fuxicar no cesto? Não, querido, eu sou educada, é uma questão de respeito. Ele deu sua risadinha, Uma questão de respeito ou de indiferença?

Rosona levantou-se mas evitou o espelho. O toca-discos tinha sido desligado, restava apenas o ruído do jorro d'água. Acho uma loucura, disse e me encarou. Isso do traidor ficar às vezes solidário com o traído, mais de uma vez o Diogo ficou do lado dele. Mal de Parkinson. Uma doença tremente, recomeçou com brandura. Vi no dicionário as duas causas, senilidade ou traumatismo craniano, acontece muito com os pugilistas que levam pancadas frequentes. Com os pugilistas, frisou e ficou de cabeça baixa, pensando. Que cada qual cuide da rosa do seu jardim, ele recomendou a um estudante. Por acaso a gente pode impedir que uma bomba atômica ou que as guerras, os terremotos, as pestes. Hein?!... Que cada qual cuide da sua rosa. E ele mesmo fez sua valise e deixou suas duas rosas, *Hasta siempre!* Dizia que éramos livres para decidir. Foi como se tivesse tomado sua decisão.

Encolhi as patas e me enrodilhei no banco que tem o perfume dela. Os caminhos eram tortos mas seguindo por eles Rosona acabou por acertar, Gregório escolheu sua morte antes de ser escolhido. Anteviu o que podia vir, futurou e essa futuração deve ter ido além do seu poder de suportar. E de ser suportado, adiantou-se. Dissipou o fantasma indo ao encontro dele.

— Tanta luta. Estou esbagaçada — disse e examinou o meu pescoço num movimento inesperado, queria ver se eu tinha pulgas. Não tinha. Enfrentou o espelho com arrogância, O que eu queria dizer é que não tenho saudade do que aconteceu mas do que não aconteceu, hein?! O que não aconteceu é que me dá saudade, repetiu. Estendeu as longas pernas. Nem sinal de varizes, o que é uma sorte, acrescentou examinando o púbis borrado da tinta já seca. E Cordélia, essa tonta. Achando que dinheiro não é bonito, ah, não?... Amantes velhos e pobres. Desprezível.

Abriu uma fresta da porta, será que eu não queria sair? Não mesmo? insistiu com gentileza artificial. Fiquei. A manhã estava fria e aqui os vapores d'água já me enovelavam numa quentura de ninho. Preferiu ficar comigo, meu gato? Você me ama? perguntou e fechou a porta. Afagou-me. Vamos trabalhar juntos naquela peça, hein, Rahul? perguntou na maior excitação. A peça do gato do jardim tão apaixonado pela moça apaixonada pelo amante que não voltou. Vimos a peça juntos numa noite em Paris, delirei! Gregório, traduza essa peça, quero esse papel! E ele me olhando, mas eu não estava velha demais para a personagem? Não disse isso, é claro, vi nos seus olhos. O café tão alegre, a fumaça, o vinho. E o olhar me dizendo que o papel da moça romântica e do gato consolando a moça. *Okey*, papel ingênuo, coisa de mocinha, ridículo uma atriz da minha idade, entendi. Mas uma noite dessas, hein, Rahul? perguntou e começou com seus amassos, soprou meus bigodes, riu. A gente ainda monta essa peça escondido, só nós dois, eu de vestido rodado e você de jaquetão de quatro botões com aqueles sapatos de bicos redondos e luvas, luvas de camurça cinzenta! e o luar. Então a gente se abraça e sai dançando aquela valsa no meio do jardim, tantos rodopios, lembra? fui abandonada pelo meu amante e quero me matar mas vem você tão lindo e diz, Oh! minha amada, não se mate, oh, não se mate não!...

Mais de uma vez ela falou nessa peça a que assistiram num teatro de amadores em Paris e na conversa em seguida, naquele café, Ele não precisava ser assim cruel, Diogo! O vinho, o entusiasmo, ele não precisava dar aquela cortada. Diogo fazia massagens em sua nuca para aliviar a tensão, Ora, Rosona, relaxa. Naturalmente ele não quis agredir, achou que você assim loucona ia tocar adiante o projeto, levou a história a sério.

Ela atirou o cigarro dentro do vaso e ficou ouvindo compenetrada o chiii!... da brasa. Enfim, não interessa, resmungou e no seu andar arrastado foi na direção do boxe. Estendeu a mão para provar a água. Animou-se debaixo da ducha oferecendo a cara ao jorro, *Let me try again!* começou a cantar. Em voz baixa, que Diogo não ouvisse, ele detestava Frank Sinatra. Mas Diogo tinha saído e eu mesmo andava longe. Na insegurança — está insegura — dirige-se a mim que valho menos ainda do que o sabonete que está usando. Não pode se dirigir a um sabonete, serve um gato? Condenado a vê-la. E a me ver como um ser que sou eu. E não sou eu.

O vapor d'água vem mais denso com o perfume de eucalipto. A voz de Rosa Ambrósio sobe enérgica ao pedir fortalecida que a deixem tentar de novo, *Let me try again!* repete quase aos gritos. E o que todos pedem, respondo num bocejo.

3

Convento das Carmelitas Descalças, será que ainda existe? Acho que nem tem mais conventos, as freiras enlouqueceram completamente. O Século Pornográfico. E Gregório falava no próximo Século Metafísico, o pobrezinho. Nesta virada do Século! começou todo empolgado aquele político corrupto abrindo o bocão de palanque para deixar jorrar o fluxo das mentiras. Enfim, não interessa, eu era criança mas me lembro de um tango lindo que a mamãe adorava ouvir, *Verás que todo es mentira, verás que nada es amor*!... Contou que na época, milhares de argentinos se mataram por causa do tango das ilusões perdidas. A gente vai perdendo. Perdendo uma coisa atrás da outra, primeiro, a inocência, tanto fervor. A confiança e a esperança. Os dentes e a paciência, cabelos e casas, dedos e anéis, gentes e pentes — todo um mundo de coisas sumindo no sorvedouro, ô! meu Pai, tantas perdas. Tive alegrias e tive ganhos, quero ser justa porque também ganhei mas hoje ficou sendo o dia da perdição. As ilusões maiores e menores. Grandes e pequenos lábios. Seria bom se existissem ainda os mosteiros dos antigos monges velhinhos com suas bibliotecas insondáveis. As alquimias. Os mistérios. As freiras mais dissimuladas do que os monges encobrindo os segredos na terra da horta. Debaixo das margaridinhas do jardim. As histéricas levitam amparadas por anjos, a garganta lanhada de tanta ladainha, os joelhos ulcerados nas penitências, *Agnus Dei, qui tollis peccata mundi: dona nobis pacem*. Hostilizam as intelectuais que ousaram a ruptura com a emoção, os olhos cozidos de tanto ler à luz das velas queimando pela noite adentro, os dedos calejados de tanto empunhar a pena de pato. Ou ganso.

Santa Teresinha do Menino Jesus pintava rosas. Pintava o sete aquela outra que usava documentos falsos quando ia ao motel de luxo na Rodovia Raposo Tavares, Dionísia ouviu o caso num dos seus vasos comunicantes. Amo esse nome, Raposo Tavares, um sertanista barbudo e mandão abrindo picadas nas matas virgens, abrindo as virgens. As lutas, negros e índios rolando como galho podre nas correntezas do Amazonas, ô! meu Pai, estão acabando com eles. Bebo depressa, que Deus salve os índios. Que Deus salve as árvores, quilômetros de verde queimando com os bichos. Madeiras nobres, peles nobres. Que Deus salve a alma pura da freirinha dos documentos falsos, foi encontrada de manhã boiando nua na piscina do motel, bebeu, amou e se afogou. Tem o convento das calçadas mas quero o das descalças, o pé no cimento. Na poeira. Silêncio e pobreza, ele era silencioso. O Gregório. Não é nada, disse amarfanhando o papel onde tinha acabado de escrever. Jogou no cesto. O Diogo estranhou, você que é tão curiosa nunca pensou em ver no cesto o que ele escrevia, hein?!...

É tarde no planeta. Escondo a cara nas cobertas, agora não queria o fantasma verde-úmido, perdão meu amor, mas queria o Diogo. Vinha tão bonito e tão alegre. Mesmo quando me chamava de velha me fazia sentir jovem outra vez, não é uma loucura? Isso tudo, a contradição, até nas agressões a gente se entendia, éramos parecidos. Sem vulgaridade, aquilo não era vulgaridade, ah! Gregório, diga que não sou vulgar ainda que me veja neste estado miserável, fazendo papel miserável. Mas se você me ordenasse, Rosa, recomeça! Por caminhos secretos que só os mortos conhecem você me induziria, essa a palavra, me induziria. Fui convidada, aceito, a peça é de Sartre, Reaparecimento de Rosa Ambrósio! Sucesso absoluto, coisa deslumbrante, a salvação pelo trabalho. Em seguida, as minhas memórias, tudo quanto é perna de pau já escreveu as suas, por que não eu? Hein?!... *As Horas Nuas*, você aprovou o título, também eu nua sem tremor e sem temor.

Abraço apertadamente o travesseiro. Mentira, querido, tudo mentira e você sabe, os mortos sabem tudo, se antes da despedida você já sabia quando eu estava mentindo, imagina então agora. Fiquei transparente, posso me esconder atrás do muro, da montanha e você sabe. Se enlouquecesse podia ser uma solução, não preciso morrer, apenas enlouqueço, não conheço mais ninguém, não me conheço, esqueci. Uma louca limpa, sem o ranho escorrendo, sem a baba. Como sou rica posso escolher a cidade que quiser, exijo uma cobertura onde possa ficar horas e horas olhando o horizonte. Olhando o mar, acho que o Rio é a cidade ideal para os loucos contemplativos, sou uma louca contemplativa. Minha acompanhante me veste, me penteia e me senta na cadeira de rodas. Hora do calçadão, não o que fica junto da praia onde os lúcidos fazem *cooper* e piruetas, mas nesse outro calçadão dos esclerosados, dos apáticos. Ali não chamo a atenção de ninguém porque já tem velho à beça de chapeuzinho branco desabado, montes de velhinhas apoiadas na acompanhante que conversa com o acompanhante do velhinho de olhar perdido no mar. Sem lembrar que um dia entrou nesse mar, graças a Deus ele não lembra mais nada. De noite ela veste em mim um casaquinho e liga depressa a televisão, não entendo, não tem importância. Desvio o olhar para a noite e fico olhando o céu como você olhava, Depressa, Rosa, venha ver que beleza! você me chamou naquela noite, tanta estrela fervendo. A lua. Não fui, eu estava saindo para uma festa, Agora não posso, estou atrasada! Foi essa a única vez que você me chamou para partilhar um pouco do seu mundo, devia me achar tão louca. Pois quero agora a loucura total arrastando aqueles vestidos compridos, a tia-avó mineira se vestia assim lírica, estampa de um cartão-postal. Coroada e descalça, a fímbria esvoaçante da camisola se prendendo nas folhinhas, nos gravetos. *Fímbria,* palavra ondulada, leve, queria ter uma filha com esse nome, Fímbria. Assim isolada não sei mais o que quer dizer, mas fímbria de camisola louca eu sei que é da loucura deslizando nos gramados. Espaço destinado aos caminhantes sem pressa e o tempo é dos apressados, tudo feito nas coxas, o Brasil nas coxas, ficou malfeito? Foda-se! Ah, espera, escapou, eu ia dizer Dane-se! e veio o Diabo. Tempo do Diabo em plena moda, o Papa disse e o Papa sabe.

Eu Sei Tudo. Tia Ana, tio Zuza e tia Lucinda, enfim, o lado rico da família assinava revistas francesas que depois de lidas eram oferecidas ao lado pobre. Minha excitação quando o motorista de tia Ana trazia as pequenas pilhas dos números amarrados com cadarços! Na pressa de ver as figuras eu arrebentava nas mãos o pacote, *Illustration. Formes et Couleurs.* Os anúncios com mulheres lindas. Vestidos. Joias, mas como era possível? Existir em alguma parte do mundo gente assim tão deslumbrante. Recorria ao meu pai também fascinado por essas pedrarias, Lê aqui, pai! Ele punha os óculos todo empertigado e com cara de quem ia ver o rei, abotoava a boca enquanto ia lendo, me avisou que tinha uma pronúncia perfeita. Em seguida vinha a tradução. Um dia, *Ma belle Rose,* ainda te levo para ver Paris. Isso foi algumas semanas antes de sair para comprar os cigarros. Fiquei sem meu tradutor, mamãe lia mal o francês, ficava entusiasmada quando chegavam as revistas mas gostava mesmo era de ler *Eu Sei Tudo.* Tia Ana pagava a assinatura, tia Ana pagava tudo até o *Almanaque d'O Tico-Tico* que eu adorava mas simulava ignorar, revista de criança.

As tardes na sala de costura. Eu fazia as lições de casa enquanto mamãe ia examinando as meias dentro da cestinha, papai já estava longe e ainda assim tinha meia à beça com aqueles buracos. Hora do lanche. Eu tomava um copo de chocolate quente e ela tomava café com os pãezinhos da padaria, a manteiga escorrendo no miolo com a fumaça saindo. As estampas. Mandava enquadrar as mais bonitas como enquadrou o retrato colorido da marquesinha de peruca branca salpicada de miosótis, o vestido de seda azul-celeste com a saia se abrindo numa corola de babadinhos caindo em cascata. Lia uma carta. E agora me vêm os detalhes, quanto mais bebo mais lúcida vou ficando, um esplendor de lucidez, os detalhes, meias brancas. Sapatinhos de cetim, os bicos agudos como agulhas. A vida amena. Fagueira. Tinha a guilhotina, mas não tinha a bomba atômica. Nem aids. Enfim, estou só pensando na nobreza mas e o povo? encardido, piolhento, vivendo em estado de pura pobreza que na impura já entrava algum conforto.

Acabou no quarto da Dionísia. O quadro da marquesinha lendo a carta de amor. Até que Dionísia se cansou dela e aproveitou a moldura para a cartolina dourada com a advertência, *Viu Jehovah que era grande a maldade do homem na terra e que toda imaginação do seu coração* — enfim, parece que até Deus desistiu e se arrependeu de ter feito o homem, a obra lhe pesou demais! Um cansaço. Reza, Dionísia. Às vezes ela diz aids. Ou eids, dependendo do último locutor. Duas escolas e uma só morte.

O Tempo correndo contra, os ponteiros girando ao contrário, Depressa Rosa Ambrósio! O grande relógio na torre da praça, Veneza? Sustentado por anjinhos de bronze tão gordos, tão risonhos mas em volta do mostrador a advertência terrível que acabei esquecendo, tantas advertências, meu Pai! Não posso guardar tudo, a Lili só quer o presente mas se não me acontece nada presentemente, hein?! Não sei que livro meu vai sair com as memórias do mês passado.

Décadence, décadence. Parece que está na moda mas só em outra língua, tudo fica melhor em outra língua. Sem as testemunhas apontando para meu peito, pois que apontem! Vou trabalhar, o palco, adoro o palco com os invejosos mordendo o rabo feito escorpião, Bem feito! Escrevo essa bosta de livro, memórias deslumbrantes, não o avesso mas só o direito das coisas, uma *Winner!* recomendou a Lili que aprendeu aí com um americano besta o pensamento positivo. Filosofia da Idade da Pedra Lascada, Hei de Vencer! mandou gravar na medalha de ouro que o crioulo lhe arrancou do pescoço com tanta força que ela foi parar no Pronto-Socorro, a corrente era grossa.

*As Horas Nua*s. Palavras claras, horas claras. Cordélia avisou que não posso usar esse nome porque é de um filme italiano lá dos anos cinquenta, descobriu isso numa das revistas de cinema que lê aos montes, quando não está tomando banho ou perambulando pelas lojas ou trepando com algum velho, está lendo suas revistas, ah! que dor. Que dor, Gregório amado, falar de nossa filhinha nesse tom, *Sê afável mas não vulgar!* ele pediu. Hamlet ou o tio? Enfim, não interessa, a cantoria glingue-glongue da Ofélia era tão comprida que eu quis cortar a parte final e não deixaram, a loucura tem que ser compridíssima, loucura, velhice, tudo longo de perder de vista, glingue-glongue... *Per omnia saecula saeculorum. Amen.*

A voz da jovem atriz Rosa Ambrósio na cena da demência é um doce sussurrar de águas puras, ninguém resiste ao seu canto, escreveu aquele crítico de barbicha loura, depois quis dormir comigo, haja saco! Eu descia a escadaria coroada de florinhas e cantando enlouquecida, *Ai, mísera de mim ter visto o que já vi, ver o que vejo agora...* O louco de verdade come merda mas no teatro ele pode ficar sublime.

Enfim, acho que nunca mais vai me acontecer nada, eu disse e a Lili riu a risadinha de anãozinho da floresta, hi, hi, hi!... Entrou de novo no delírio das viagens, trouxe prospectos, dólares, um cruzeiro marítimo. Então eu quis explicar calmamente que não é bom ficarmos exibindo a velhice nessas viagens, a velhice é obscena, querida. Fiquei quieta e olhando seus sapatos decotados e provavelmente apertados, pensa que tem pés pequenos. Califórnia, Lili? Mas lá é só agressão, violência, montanhas de mortos nas estradas, nos cafés, hein?! Ela franze a boquinha mimosa, Que bobagem, nunca vi um lugar com tanta vontade de vida. Laranjas douradas, uvas douradas! E os homens, então? Verdadeiros deuses. *Okey*, chuparemos as uvas mas agora eu queria ficar neste programa modesto, posso? Programa modestíssimo de uma abelha tonta resvalando para o chão macio, ô delícia!...

Lembrar. Esquecer e de repente voltam os esquecidos com tamanha força, ululando nos sonhos e fora, uma conspiração. Acho que representei bem a dor de Ofélia mas quando saí do palco a dor continuou enterrada no meu peito até o cabo. As personagens insistindo, uma noite cheguei a me assustar, era Hamlet e não Diogo que me apareceu com aquele queixo duro, eu querendo o Arlequim de coração contente e me vem um Pierrô sinistro, as narinas abertas intuindo podridões. Mas seu rancor era raro e breve. A sala do som e do computador ficava aqui embaixo e como ele se divertia com as descobertas no quebra-cabeça mecânico. O jazz. A vocação para a vida. Vai lá, Diú! eu peço e ela vai e limpa tudo como se ele fosse voltar daqui a pouco. Levo flores. Será que não tenho mais liberdade de convidar minhas amigas? ele perguntou. Eu fazia aquela cara superior, Claro que pode, querido, o apartamento é todo seu, respondi e por dentro me contorcia feito uma minhoca, não sei por que que o amor dos fracos tem que ser gosmento. Ignóbil, o oposto daquele prêmio sueco. Ou todo amor é assim fraco?

A música forte, ruídos fortes, Sou jovem! me avisava. Já sei disso, eu respondia, você é livre, da minha parte, nenhuma interferência. E da minha parte só interferi, me segurei um pouco enquanto o Gregório — enfim, enquanto ele estava por perto consegui me conter, fiquei nojenta depois. Diogo então começou com a dissimulação, não queria me ferir, o pobrezinho, tentou me poupar, esmerou-se nas encenações, às vezes batia a porta, Acabei de sair! E ficava fechado com a putinha, podia ser até que estivessem só conversando, bebendo mas tudo escondido, um pouco de respeito pela velha aí em cima. Rua! eu disse. Todo o ouro do mundo não vale o prazer que me dava a sua simples presença. Se pago ao museu quando quero ver uma obra de arte, por que não pagar a um ser vivo? Hein?!... E à minha disposição, me servindo, podia ficar perverso quando me arreliava, podia até me acertar e me acertava mas sem profundidade, coisa de superfície. Sem humilhação. Seu olhar dourado e que ultimamente eu achava triste, sua música desesperada que eu detestava e agora amo — sumiu tudo. Fiquei sozinha para me executar, sou meu carrasco. Pior do que um estranho porque já me amei, Tum!, disparo no coração do coração. Caio redondamente morta.

Os passos ficaram mais próximos. Dionísia acendeu a luz.

— Queria saber se a senhora vai continuar aí no chão.

Cubro a cara com a blusa e sinto nela o perfume da véspera. Atiro a blusa longe, mas será que não posso ficar em paz? Abro as mãos e aliso o tapete, Você não quer ficar em paz, quer beber em paz, ele disse.

— Apaga a luz, Diú! Meus olhos, a enxaqueca...

— Cordélia ia descer e eu disse que não carecia, que a senhora estava dormindo, que estava tudo bem. Precisei mentir.

Ouço minha voz delicadíssima.

— Não está na hora da sua novela?

— Não. Está na hora do seu banho.

Mania de banho, por que tanto banho se não tenho nenhum homem, não tenho ninguém. Diogo foi embora, Gregório foi na frente, cobriram sua cara com uma organza ou filó, não importa. Fizeram o que bem entenderam do corpo esvaziado e nele imprimiram a própria vontade. E aquele padre apressado com blusão de motoqueiro, mas esses padres perderam o respeito? Acordei do sono de pílulas e encontrei a cena armada, estranhei a farsa, Gregório não acreditava em nada, quero dizer, na sua natureza mais profunda era um espiritualista. Mas desprezava o ritual religioso da morte, não tinha sentido o padre. Diogo deu uma resposta meio vaga, a sugestão teria sido de Cordélia ou Dionísia, não lembrava. Você estava com ataque, não pude esperar. Ataque. Comecei a chorar baixinho. Nunca Gregório falaria assim comigo e eu o traí com esse moleque e agora ele estava morto. Comecei a chorar desesperadamente, chorando e vendo por entre as lágrimas as mulheres e os homens pasmados em redor do caixão, gente que eu não conhecia, não entendi que gente era aquela. Lá do meu canto fiquei olhando sem entender, na partida para o desconhecido, os visitantes desconhecidos. Me comovi demais quando vi passar a minha Cordélia com a carinha tão assustada, ficou de novo uma menina que se perdeu na confusão. Vestia o paletó do pai, é o pai que ela ama, de mim sente pena, uma ternurinha feita de complacência, mais nada. Dionísia servindo café, a carapinha assentada, o avental preto, o das festas. Desolada e conformada, o patrão agora estava num plano mais alto, sem aflição. Sem dor. Ficou eterno. É solidária, quer me ajudar, me salvar, mas nessa salvação eu sinto um toque de desprezo, ela me despreza. Vislumbrei Ananta, a pequena Ananta com seu aventalzinho branco e cara branca, já se refez do choque. No intervalo entre uma consulta e outra, desceu depressa, mais fácil marcar aqui a presença antes que o corpo se desgarre para algum velório lá no cu do judas. O corpo. Tão rapidamente ele ficou sendo o corpo, já não era o Gregório, era o corpo. *La identidad cultural*, eu disse feito uma idiota quando Ananta veio me abraçar. Não ouviu, devia estar seguindo para algum plantão das mulheres que apanham e se queixam.

O desfile murmurejante, meu Deus! como ele era admirado, amado, eu não imaginava que tanta gente assim, tanta gente. Chegaram os colegas da universidade, alguns eu conhecia, mas os outros eram reconhecíveis porque se vestiam no mesmo estilo de Gregório. De repente, no meio deles, uma jovem descabelada que eu já tinha visto meio vagamente, onde? nem bonita nem feia, jovem. Via-se que tinha chorado muito e ia chorar ainda, estava lívida. Aproximou-se devagar, reunindo as forças. O espanto. Tive a intuição, é essa a amante. Descabelada demais para o gosto dele mas ventava tanto, o vento devia ter emaranhado a cabeleira ruiva e crespa, lindíssima. Quando passei ao seu lado, esquivou-se e entrou na roda dos professores que conversavam perto da porta. Fiquei excitada, parti para vê-la melhor de outro ângulo mas percebeu a manobra e varando por entre um grupo de jovens no vestíbulo, alcançou a escada. Foi embora, eu sussurrei ao Diogo que concordou sem ouvir, o olhar fixo no caixão. Um olhar tão sentido, eu não disse? de um certo modo ele era fascinado por Gregório, se fosse homossexual a interpretação seria primária, eu era a mais próxima, hein?!... Ô! meu Pai, meu Pai, esta mente podre. Cobri a cara com as mãos e pedi a ele, o ausente-presente, que me ajudasse a recuperar a minha fé porque sem ela eu ficava uma coisa escura, tão escura. Um homenzinho com ar de profissional de funeral consultou Diogo, obediente ao jovem secretário que tentava botar um pouco de ordem na desordem da morte.

Quem sabe ele voltou e vai ligar o toca-discos, quem sabe ele já está aqui embaixo! Apuro o ouvido. Uma porta bate em algum lugar. Alguém chama alguém mais longe ainda. Vou me enrolando no lençol, ele acabou como o outro, inatingível. Rua!, eu disse ou pensei, não lembro mais. Ele não me obedecia mas dessa vez obedeceu.

— Queria minha filha.

— Ela saiu, a senhora esqueceu? Mudei hoje a roupa da cama e a senhora arrastando o lençol aí no chão. Vem tomar seu banho.

— Queria dar um passeio, Diú. Sair rodando pela estrada, não sei por que despediram o André, era o mais gentil dos motoristas.

— Mas a senhora não sai nunca, ele ficava aí parado.

Foram todos embora, os desertores. Se Gregório tivesse ficado, quem sabe a Cordélia. Não ficou. Nuvens. Eu disse que as mulheres vivem conspirando como as nuvens, se juntam e conspiram. Mas vem o vento e desfaz tudo, carrega as nuvens para longe, hein?! Conspiração de nuvens. Mas nem sempre as nuvens se dispersam, disse Ananta. Caem as chuvas, espero uma tempestade.

— Hoje tenho Ananta?

— Amanhã. Hoje vem a manicure.

— Cancela, pelo amor de Deus, cancela. Futucar a unha da gente, porra. Uma futuca a unha, a outra futuca a alma, estou exausta.

Ananta, a analista. Veste a roupeta de plantão, sobe no carro e lá vai ouvir as queixas. Delegacia de Defesa da Mulher. Nunca a mulher apanhou tanto, as psicólogas mais do que as outras. Vencem na discussão porque são mesmo deslumbrantes e daí eles ficam furiosos e se vingam no braço. Quer dizer, quanto mais polêmica sutil mais olho roxo. Por favor, Rosa, não quero polêmica, ele pedia. O Gregório, é claro. Acho que nunca me levou a sério, parecia um sábio do Sião ouvindo a Joaninha, a besourinha com bolinhas vermelhas na blusa. Enfim, não interessa, restamos nós nesta coluna do edifício, uma preta velha. Um gato velho e eu. Rosa, Rosae.

— Sonhei que ele tinha voltado mas tão triste, o que aconteceu? perguntei e ele apontava o retrato de Cordélia menina, aquele da bicicleta. Uma menininha angelical, lembra? Colecionava pedrinhas, folhas secas dentro dos livros, estava sempre salvando algum bichinho que se afogava... Onde é que eu falhei, meu Pai! Passando de mão em mão e ainda por cima mão de velho. Pensei que acabasse uma tenista importante. Pensei depois, vai ser astróloga com a mesma mania dos astros, professora como o pai e ganhando uma miséria, um horror mas ainda assim é uma profissão, hein?! Não interfira, ele disse. E morreu. Fiquei sozinha, querida.

Até o teto de teoremas, estou cansada, cansada. Acho que estou repetindo as coisas, não estou?

— Está. O sonho também já escutei antes.

— Sabe o que ela disse no telefone, Diú? Falava com um dos velhos, sabe o que ela disse? Quase morri de prazer!

— Tirante uma ou outra pessoa o mundo piorou demais. Escutei no rádio que uma menina de nove anos ficou amante do padrasto. E ele não queria, foi ela que aprontou. A mãe deu um tiro nele e se matou com gás. Vi a menina na tevê toda feliz da vida com aquele cabelo preso na argola feito um coqueirinho, pedindo cigarro pro delegado.

— Ele deu?

Silêncio de Juízo Final. *Mea culpa. Mea culpa.* Se ela gosta de homens mais velhos, temos que respeitar sua escolha, ele disse e acendeu o cachimbo, já tinha falado muito. Agarrei-o pelo braço, Mas tem um detalhe, é tudo pobre, uma desgraceira!

— Queria tanto enlouquecer, Diú, não morrer, mas enlouquecer, vou me desintegrando sem pressa, um pé no mar, outro no telhado. A cara na nuvem e o rabo só Deus sabe onde vai parar.

— A senhora precisa trabalhar de novo, é bom ter um serviço.

— Eles não me querem.

— Por que não? Tem muita gente de idade que trabalha.

Gente de idade, Ah, querida Dionísia. Meu espelho verdadeiro. E onde foi parar o outro?

— Lembra, Diú? Aquele meu espelho de aumento. Sumiu.

— A senhora escondeu.

Escondi. Não vou me esconder nunca mais, quero voltar. O retorno numa peça importantíssima, a corja toda de rastros com Diogo na frente, Rosa Rosae! Acha o meu espelho, Diú! peço e estendo a mão. Toco com os dedos sua alpargata, Escutou, querida? Escutou nada, só se interessa pela corcundinha da novela que fez plástica, perdeu a corcunda e vai casar com o patrão milionário. Peço um cigarro. Ela acende o cigarro na própria boca mas sem tragar, fumava com tanto gosto seus cigarrinhos de palha mas essa sua religião não permite nenhum vício. Então ficou mais triste, a virtude é triste. Todas as mulheres quando perdem seus homens arrancam os cabelos, querem se enterrar junto e juram que nunca mais. E no dia seguinte já estão se consolando com o amigo íntimo do morto que nem começou a apodrecer direito. Só Dionísia cumpriu. Faz duzentos anos que se casou com aquele Baltasar. Que morreu um mês depois do derrame e nunca mais mesmo. O sonho, será que já contei esse?

— Acho que já contei, Gregório estava na esquina com aquela roupa esverdeada da viagem. Tinha umas coisas escuras na lapela, pétalas secas, não sei... Entrou numa casa, tinha tanta casa igual, fui batendo de porta em porta...

— Ele está num ambiente melhor.

Tive vontade de rir, imagine, chamar de ambiente melhor aquele horror. Se ao menos eu tivesse a fé antiga, a fé histérica dos santos e seria então capaz de ver Gregório inteiro. Limpo. Sempre achei que os santos não têm medo, os santos e os suicidas, mas já não estou certa de nada. Mesmo esse céu assim sem nuvens, tão arrumado, hein?! Chega mais perto, chega e os latejamentos, as implosões, os buracos. Colapsos, ele falou nisso, colapso das estrelas. Impressionante.

— Devo estar com febre. A menopausa, você sabe.

— Mas já faz tempo que acabou, a senhora esqueceu? Foi junto comigo.

Suas alpargatas fosforescentes de tão brancas. Olho minha mão opaca. A gente devia voltar a usar luvas, tão misteriosas as luvas. Luvas e máscaras. A máscara da serenidade, a máscara da alegria, a do desprezo e da indiferença, era só escolher, hoje vou usar esta. As luvas, a de renda preta ia até o cotovelo, tão transparente. A de cetim branco-pérola era longa e justa, do mesmo tecido do vestido. A de jérsei turquesa eu usava com os brincos.

— Você acha que ela é virgem, hein?! Ananta.

— Não sei, só perguntando.

Singularidades de um marido e de um amante. Ambos a defendiam mas cada qual a seu modo: Diogo, no seu estilo galhofeiro. Gregório, com seriedade. Eu então disfarçava, não criticava Ananta, uma moça tão boazinha mas não tinha cabimento me apoiar numa analista assim jovem. Inexperiente, mais muda do que um peixe, hein?! Apaga, apaga. Se Gregório fosse do ramo falaria ainda menos do que ela.

— Se Gregório se abrisse comigo! Mas me escondia tudo, a dor, a insônia, escondia até as mãos nos bolsos, não queria que eu visse como elas tremiam. Escondia também as mãos nas costas, o pobrezinho. E então? eu perguntava e ele me olhava com um jeito de quem já estava longe.

— Nunca se queixou, o doutor era um santo. Um dia apertou a cabeça como se tivesse fogo dentro, levei um susto. Quando me viu disse que foi só uma pontada, já tinha passado e perguntou do meu culto. Pediu que eu rezasse por ele. Mas o senhor não acredita em nada, eu disse e ele achou graça, Ainda assim pode rezar.

— Não tive nenhum pressentimento, Diú. Acho que eu estava distraída.

Falo das mulheres-nuvens e sou igual, qualquer vento me desmancha, me afasta. Perdi Diogo porque não percebi o quanto ele estava infeliz. Quero perguntar, E o Diogo? Mas ela acabou de ver a garrafa que o lençol descobriu. Pegou a garrafa.

— Vai, levanta.

— Daqui a cinco minutos, querida, só cinco. Prometo.

Afasta-se num andar pesado, ela pisa como o Destino. Saiu da cena. Fico com Diogo que me faz rir quando diz que vou vestir minhas horas peladas uma por uma, calcinhas, cílios postiços, echarpes. Você é uma narcisista, Rosona. E os narcisistas são barrocos. Vou responder e ele não está mais comigo, saiu no seu Porsche vermelho, expulsei-o e era a mim mesma que estava expulsando. É o que ela não entende, essa analista. Nem vai entender, enfim, não interessa, acabou. Deixou os móveis, os quadros mas levou o carro e o aparelho de som, Adeus, Rosa. Não disse Rosona, disse Rosa e então ficou mesmo adeus. E a outra quer que me vista, me enfeite, mas por que enfeitar este corpo que agora detesto? Nem é detestação mas desprezo, o traidor. Quero ser cremada, hein?! Que não me vejam desprevenida, exposta, *Merci*, filhinha amada, mas recolha suas organzas, quero a cinza. Que aproveitem o caixão de primeira para o próximo e também o ouro dos meus dentes. Tenho ouro à beça, com uma delicada pinça será retirado das minhas arcadas, nada se perde.

— Nada se perde! Dionísia, hoje tenho Ananta? Hein?!...

Ninguém responde. Lá vou me apoiar na muleta de vidro, fico falando e quando seca o cuspe ela diz, Continue. Milhares de explicações que não explicam. Não sei o que essa pobre jovem pode fazer por mim. Nem ela nem um analista velho que os velhos já estão surdos, exauridos, tantos teoremas. Sem falar nas hemorroidas, nos enfisemas, nos gases. Afundados até as orelhas no próprio pântano, quem quer saber? Eu poderia gastar todo o cuspe do mundo explicando e não explicava, o que interessa está escondido. *Eu Sei Tudo*, dizia a revista da mamãe. Respondo agora, eu não sei nada. Sei que o corpo é do Diabo porque foi depois que rompi com meu corpo que me aproximei de Deus.

4

A poltrona fria. A sala enorme, toda branca com suas sombras azuladas mais frias ainda, é madrugada. Vou todo arrepiado para a cozinha que é o lugar mais quente deste apartamento gelado. No calendário da Dionísia há sempre receitas tropicais escritas nas costas do dia. País tropical. Ainda bem que tenho este meu casaco de pele que Rosa Ambrósio considera uma pele vagabunda mas sou um gato vagabundo. E completamente inútil, na opinião da Lili que prefere ter um cachorro a um gato, O cachorro é tão mais amoroso! vive repetindo. Rosona faz aquela cara de falsa distraída e fica me olhando. Sorrio por dentro, concordo, língua de gato é áspera, imprópria para consolar as velhotas solitárias.

Vejo na penumbra o leite talhado na minha vasilha. Molho o focinho na vasilha d'água. Subo no fogão. Saudade do leite verdadeiro e não dessa mistura safada que Dionísia compra em sacos plásticos. O som alegre dos chocalhos das cabras, o cheiro quente do leite e o coração, onde foi isso? Quem sabe na casa das venezianas verdes, antes da morte do pai, antes do luto fechado das mulheres, antes. Antes. Dionísia está tossindo encatarrada, depois da tosse vai fazer sua ablução, ela diz ablução. Vem em seguida a hora da oração, limpa diante de Deus. O uniforme engomado diante dos patrões.

Ao lado da geladeira, dependurou o calendário religioso que tem a estampa colorida do Cristo de coração sangrando. Com cuidado arranca o dia anterior já lido e vivido e vai buscar os óculos para ver de perto o novo dia. Lê o nome do santo. Pensa um pouco na frase para meditação e examina as fases da lua, quando Gregório vivia, costumava avisá-lo todas as manhãs, Hoje é Lua Cheia. Hoje é Quarto Crescente. Ele agradecia a informação embora já soubesse tudo sobre esse céu. Sobre essa lua, sua paixão. Minha paixão. Daqui da janela não posso vê-la mas sei que ainda está rolando nesta madrugada que começa a clarear. Gregório e sua fixação na lua que sangra como o coração do Cristo do calendário. O Eterno Feminino, disse Cordélia e ele sorriu. Até tarde da noite pai e filha ficavam conversando sobre os astros e de mistura vinha tanta coisa. Às vezes ele dissolvia no copo d'água duas aspirinas. A dor, pai? ela perguntava e ele negava, estava bem. Estava bem. Era ela quem preparava o chocolate quente que tomavam com biscoito. Antes, ele recomendava, Não esqueça o leite para o Rahul. Eu me deitava na minha almofada e ouvia. Mas isso faz tempo, não interessa, diz a Rosona. Que nessa época não parava em casa, ou estava representando ou se exibindo em alguma festa. Chegava queixando-se das pessoas, das comidas, estava sempre encalorada quando se estendia no canapé e se abanava com uma ventarola chinesa, ô! meu Pai. Só para Dionísia confidenciava, Os calores da menopausa, sofro tanto! Devia andar pelos cinquenta anos, lá sei, mente a idade agora e antes, ninguém mais sabe.

Queria dormir e meus olhos estão esbraseados, meus olhos e o peito. Tão pequena a minha cabeça, não entendo como pode caber nela tanta coisa. Poeira de lembranças que caberiam até na casca de uma noz. Se eu conseguisse arrumar essa poeira quem sabe encontraria os cubos que faltam para formar os quadros do jogo: o menininho de cachos espalhava as peças no chão mas faltava sempre alguma para completar a roda dos anões da floresta. Ou o vestido da princesa presa na torre, eu chamava minha irmã e ela ajudava. Mas logo perdia a paciência, era impaciente, irritadiça. A voz ficava estridente, Este jogo se chama pâzel, vai, repita comigo até aprender, diga pâ-zel, pâ-zel! Alguém se deitou no chão — minha mãe? — repartindo comigo a visão radiosa de um caleidoscópio desabrochado em pedrarias de flores, Pega e vá girando bem devagar, assim... Na tarde em que encontrei o Diogo deitado nas almofadas do canapé e olhando o caleidoscópio, parei estarrecido. Que beleza, ele dizia baixinho. Fechava um olho e colava o outro ao vidro do canudo, Que beleza! Venha ver, gato, convidou quando me aproximei. O caleidoscópio que o menininho viu não seria esse mesmo que Diogo achou nos guardados de Rosona? Não havia dois caleidoscópios mas apenas um, inventei o outro? Como inventei esta alma transmissível e transmigrante, vírus que habitou três corpos até chegar a este atual. Não houve nenhum colar de prata com a inscrição, não houve nada disso, o que estava no pescoço do jovem romano seria apenas a coleira que Rosona resolveu afivelar no meu pescoço e que acabei estraçalhando nos dentes, não era isso? Foi para fugir de mim mesmo que inventei os outros corpos, que me alimentei desses outros, tão simples tudo. Tão simples, concluí e me deitei sem forças. Diogo deixou o caleidoscópio e ligou o toca-discos, Que gato mais triste! Um pouco de jazz vai te animar, garoto. Ligou o toca-discos e logo se esqueceu de mim, ouvindo em êxtase o saxofone.

Eu te darei um novo corpo, foi a promessa de Deus. Um novo corpo a todo aquele que merecer esse corpo. Quero acreditar que foi por merecimento que recebi uma segunda vida. Com direito de sair dela, eu me matei. Ficou tão pouco dessa vida breve, não é fantasia, eu sei que esse pouco se divide e multiplica em outras lembranças com a rapidez dementada das imagens do caleidoscópio. Fui um atleta. A manhã é de festa na grande praça de esportes. Estou correndo numa competição, corrida de revezamento, há tantas bandeiras. O céu de um azul ardente está tão belo, o sol acabou de nascer — sempre o sol nascendo ou se despedindo. Com o fervor de um herói corro de queixo erguido, levando na mão estendida a tocha acesa. A sucessão de imagens agora se desenrola difícil como num velho rolo de filme deteriorado, tento me localizar no espaço. E não consigo ver nada além do atleta correndo com a segurança de quem está dentro e fora da competição, ator e espectador como aconteceu na casa romana. Sem aquela riqueza de cores, a imagem é em preto e branco. Devo entregar a tocha ao parceiro que não vejo, ele vem atrás para me ultrapassar, ouço suas passadas. É mais rápido do que eu, adiantou-se e tanto que sinto seu bafo ardente assim que ficamos emparelhados. Vou passar-lhe a tocha, já estendeu a mão. Sigo firme olhando em frente. Se voltar a cabeça poderei vê-lo mas devo esperar o momento propício, Agora! Cerro os maxilares, vou estender o braço mas sopra o vento furioso fazendo a tocha vacilar. Apagou-se a manhã com o seu atleta. Nas sequências seguintes que surgem meio empasteladas, há copas de árvores farfalhantes que se confundem com cabeleiras por entre as quais espiam olhos. Ou frutos, é um pomar.

A tosca máquina de projeção está hesitando e parece emperrada a manivela que vai puxando com dificuldade os últimos fragmentos de bordas corroídas. E de novo as imagens surpreendentemente nítidas: estou no hospital, deitado na cama de esmalte branco. Aproximam-se dois médicos de longos aventais, gorros e máscaras. O primeiro médico está mais interessado em mim, inclina-se. Seus alongados olhos castanhos são duas baratas lustrosas emparelhadas na estreita faixa entre o gorro e a máscara. Detiveram-se em mim com certa gula, percorreram rapidamente meu corpo. Estacionaram novamente na minha cara com uma curiosidade maligna. Não sinto seus dedos apalpando meu pulso. Desinteressa-se com um gesto de enfado.

— Está morto.

O outro falou e a voz fez ondular o tecido transparente da máscara.

— Suicídio?

— Injetou uma carga cavalar de heroína. Deixou um bilhete.

Tento desesperadamente me levantar e avisar, estou vivo! E o meu corpo sutil descobre que não tem mais o menor controle sobre o corpo que deixei na cama. Deixei ainda um bilhete. O que escrevi nesse bilhete? A máquina emperrada projeta os últimos fotogramas devorados pela mancha irregular de um branco empelotado de vômito.

Ainda a invenção? Simples necessidade de compensar a forma atual através da fantasia — será isso? Nessa linha, inventei a corrida com a tocha e o parceiro que vem me substituir, claro símbolo da vida em outras terras. Com outras gentes. Inventei o jovem na casa romana como inventei o menininho de cachos na casa das venezianas verdes, a mais longa das invenções, tantas minúcias. A cidade é pequena, vejo-a se estendendo pela rua principal de terra vermelha. O lago com suas marrecas selvagens. A casa dos morcegos. Não tenho ideia do que fazia meu elegante pai nessa cidade onde o Diabo perdeu as botas, dizia minha irmã. As botas e as meias, acrescentava a agregada e minha irmã ria meio envergonhada da alegria. Eu sabia que o gato da história tinha botas mas também o Diabo?

Na noite antiga ouço essa irmã dizer baixinho que mamãe tinha piorado, precisava com urgência de um tratamento sério, Hoje nem me reconheceu! A agregada mexia na rosca do lampião de querosene e seus olhos foram ficando verdes, do mesmo tom da luz. Falou mas não entendi o que quis dizer. Só mais tarde, enquanto me dava banho é que retomei a frase e achei o sentido, Ontem sua mãe me perguntou quem era o menino que andava pela casa.

Procuro unir as pontas meio rotas através do Tempo real ou inventado enquanto fico me perguntando o que isso tudo tem a ver com um gato. Sem raça e sem caça. Que Rosa Ambrósio encontrou na rua quando saía do teatro, era tarde da noite e eu miava tão tristinho, contou à Lili. Enfiou o pobre do gatinho dentro do bolso do casaco e foi comprar uma mamadeira, estava com o casaco de vison, Aquele que mandei reformar com tiras de couro, ficou ótimo, você sabe!

Lili sabia. No dia seguinte vi Diogo pela primeira vez quando ele entrou na sala. Saí de trás da cortina e ficamos um instante nos olhando nos olhos. Ele riu, me segurou com dois dedos e me levantou com a habilidade do veterinário que conheci depois. Fiquei esperneando no ar.

— Mas onde a madame descobriu este gatinho pesteado?

Era ainda apenas o secretário-programador da atriz mimada e cansada, ela já se queixava de cansaço. Quando me deixou no tapete, protestei com miados tão escandalosos que ele voltou a rir.

— Hauuuuul!... Hauuuuul!... — ele repetiu balançando o corpo como um pêndulo, o olhar sentimental envesgado no teto. — Seu nome agora é Rahuuul! — avisou e resolveu me atirar bolinhas que ia fazendo com o jornal. Eu aparava as bolinhas no ar, gostei do brinquedo, gostei dele. Ia saltando cada vez mais alto até que ao invés da bolinha, me atrapalhei e agarrei sua mão.

— Você arranha fundo — ele gemeu chupando a gota de sangue. Foi cuspir na pia. Quando voltou, fui todo alegrinho ao seu encontro, queria brincar mais. Ele me pegou pelo rabo, me sacudiu e me atirou longe: — Seu filho da mãe!

Nem sabia ainda das minhas unhas mas se era um gato filho da mãe não podia mesmo ser boa coisa. Foi a primeira lição que aprendi, não pode ser inocente quem não tem o prestígio de um pai, mãe não é o bastante. Tive aquela que engatou com um gato do telhado, me pariu, me amamentou enquanto pôde e ficou em algum desvio. Com que sofreguidão eu me agarrava às suas tetas como se adivinhasse que logo iria perdê-las, ficou no desvio. Saiu para caçar e foi caçada, descobri depois que o homem sente mais prazer em matar gatos, coisa de instinto competitivo, o gato é mais astuto do que o cachorro e a astúcia espicaça. Fiquei à espera dela no nosso ninho debaixo das telhas. Não voltou. Fome. Frio. Desci e parei na esquina chamando em vão. Foi quando a Rosona veio vindo com seus amigos e com sua piedade, Olha o pobre gatinho! disse e me abrigou no bolso do seu casaco e no seu coração sensível, à espera de que eu crescesse para me castrar.

Mas tive um pai antes. Morreu jovem, as três mulheres da casa estão de luto fechado. Como seria o relacionamento do menino de cachos com esse pai? Ele não sabe mas se sente vagamente ameaçado no imenso casarão e então se esconde nos cantos, entra nos armários, nas arcas. Foge às vezes para o pomar onde a irmã ou a agregada vai buscá-lo. A terceira mulher da casa, essa não se importa nem com ele nem com nada. A minha mãe. É a mais alta e a mais bonita mas há na sua beleza uma mornidão estagnada.

— Está pior — disse minha irmã e fiquei sem saber a quem se referia essa irmã estrábica que lembrava o moço do retrato. Por ser baixa e ter cabeça grande, de costas parecia uma anã.

Surpreendi-a certa vez no quintal metida numa camisola, secando os cabelos ao sol. Parei num espanto, minha irmã? Tinha a expressão doce e seus cabelos soltos brilhavam tanto que saí correndo e fui chorar atrás da porta. Quando ela reapareceu já vestida, vinha com a cara de sempre, desconfiada. Dura. As tranças unidas na nuca por um laço mesquinho.

Chego à agregada mestiça. Não sei o nome da minha irmã mas sei o nome da agregada, Marta. Tem olhos asiáticos e o perfil de uma rainha exilada. Lavou minha cabeça e agora enrola meus cachos numa vela, é quem cuida de mim e da casa. Minha mãe quer parecer afetuosa mas exige muito de si mesma nesse esforço e logo se retrai, Agora não, filho! Arrepende-se, quer me agradar e acaba me empurrando, Por favor, Marta, leva esse menino!

A sala de visitas sem visitas, ocupada pelos mortos da galeria de retratos. O piano de castiçais de seis braços segurando as velas vermelhas. Em cima do piano, o livro de fecho de prata com a estampa do *Gato de Botas*. O sorriso e a pluma. Era uma grande pianista, disse minha irmã apontando para o retrato da Avó que ganhou a moldura mais preciosa da galeria. Eu sabia do seu amor pela Avó e afetava curiosidade pela matrona de vestido repolhudo e toucado preto, amarrado sob a papada, mas quem me fascinava era a mocinha junto do moço de bigodes engomados: minha mãe e meu pai no dia do noivado. Ele encara o futuro com a arrogância dos estrábicos, a boca advertindo obstinada, Até que a morte nos separe! Ela apertou a boca com pudor da própria beleza mas o olhar radioso assume com coragem a graça do amor, Estou tão apaixonada!

Deixo os noivos e me volto para a mulher de luto que me observa com indiferença. Minha mãe. Faço caretas para diverti-la, monto no cabo da vassoura e saio galopando, upa, upa! E sua expressão é a mesma com que olha para o saco de batatas. Nenhuma relação entre ela e a mocinha sonhadora do retrato. Foi depois da morte do meu pai que ficou assim oca? Depois, louca.

Estão me preparando para alguma cerimônia, Marta me sentou na mesa e molha meu cabelo para enrolar os cachos. Obedeço mas meu pensamento escapou livre por entre samambaias e avencas em busca do tufo de folhas veludosas, aquelas folhas macias que eu esmigalhava entre os dedos, o perfume verde nos dedos, nas narinas. Malva. Entro no canteiro das rosas vermelhas que tinha vontade de morder de tão carnudas, mordia os botões. O pomar com as aranhas refazendo infinitamente as teias que eu despedaçava. Volto à sala e passo os dedos silenciosos pelas teclas do piano que está sempre fechado, minha irmã sabe tocar mas ouvi Marta dizer que o pianista brilhante era o pai, por que não me lembro dele? Os meus esconderijos nos cantos mais escuros do casarão, abro o grande armário e afundo a cara nos vestidos dependurados. O cheiro dos vestidos. Na arca maior os saquinhos de filó guardam raízes aromáticas mas quero o cheiro forte dos cristais de cânfora, chego a ter vertigens quando esmigalho as pedrinhas brancas e nelas esfrego a cara. Serve para matar traças, respondeu Marta quando perguntei.

Agora estou sentado numa cadeira de vime, vão tirar o meu retrato. A mesa com a toalha de crochê. A jarra de porcelana com as flores de papel. Vi muito dessas flores nos altares da igreja e nos andores da procissão, eu detestava essas procissões como detestava a minha roupa de anjo com as asas equilibradas nas costas feitas do mesmo papel encrespado das flores. A roupa de apóstolo tinha um manto vermelho-verde, estava sempre tropeçando nesse manto enquanto procurava mamãe na fila das beatas, Onde você está, mamãe?... Ou me procuro ou estou procurando alguém, procuro-a na sala do homem dos panos pretos, A senhora está aí, mãe?! Há nessa sala um biombo japonês com grandes leques desenhados, cismo que ela pode estar escondida atrás dos leques, Mãe?!... Minha irmã me agarra pelo braço e me faz voltar ao cenário de vime. Arruma com gesto rude a gola da minha blusa, ajeita meus cachos já despencados. Começo a me encolher. Ela levanta meu queixo, quer que faça cara alegre. Que mostre os dentes. Estou quase chorando quando o fotógrafo se mete debaixo do pano, ficou invisível. Para descobrir que não estou triste, mas com medo.

A casa amanheceu diferente, mais agitada. E ao mesmo tempo, silenciosa, com minha irmã empilhando as roupas dos armários e Marta andando na ponta dos pés, um lenço amarrado na testa, a enxaqueca. Quando as duas se cruzavam, trocavam olhares. Gestos. E seguiam com suas tarefas secretas. Vi mamãe quando minha irmã foi buscá-la no quarto. Estava com o casaco de ir à igreja e a mantilha de lã cobrindo-lhe a cabeça e descendo num amontoado de pregas até os ombros. Luvas de pelica preta, fazia frio. Passou por mim sem me ver, apoiando-se no braço da minha irmã que também estava de luvas, carregando uma valise lustrosa. Marta me tomou pela mão.

— Vem, vou te contar uma história.

Minha irmã voltou sozinha da viagem. Beijou Marta, me beijou e não disse nada. Anoitecia. Fui até o pomar mas voltei correndo e entrei pela janela no instante em que ouvi minha irmã dizer que precisou interná-la. Disse isso enxugando as lágrimas com o lenço tarjado de preto que tirou do bolso da saia. Calou-se assim que me viu. Marta abriu a lata e me ofereceu sequilhos. Estavam duros. Sentei-me no chão roendo os sequilhos e chorando porque queria minha mãe, não a que saiu de mantilha mas a que ficou no retrato. O lampião aceso em cima da mesa. E as duas com seus trabalhos de tricô, o som velado das agulhas de osso se procurando e se repelindo por entre a malha. E se eu fosse a mariposa que entrou pela janela e começou a voar esbaforida em redor do lampião, a mariposa não tinha medo. Nem a formiga ruiva que vi sair da fresta do soalho e seguir num andar arrogante na direção da cozinha. Habitada pelos veludosos morcegos dependurados no teto, longos como os brincos pingentes pretos que minha irmã usava aos domingos. Era bom ser morcego? Pensei ainda em ser passarinho mas nesse devaneio nunca me ocorreu ser um gato.

Na noite do lampião verde vi Marta trazer o álbum de capa de veludo e uma grande caixa com retratos da família, nessa manhã tinha espetado um espinho no dedo, queixava-se do dedo inchado. Sonhei ou ouvi alguém dizer que Marta, a agregada, tinha morrido por causa de um espinho? Espalhou os retratos na mesa e foi fazendo a seleção. Quando chegou minha vez, ela franziu a testa.

— Não ficou bem, ele saiu com uma cara tão assustada.

Minha irmã puxou brincalhona a ponta da minha orelha mas pelos seus dedos pude avaliar sua irritação.

— Mas é essa a cara dele, Marta. Não está vendo?

Volto à cidade romana onde não me lembro do medo, só do amor. Um amor sem diálogo, foi o bastante? Foi breve.

Vem mais forte a tosse de Dionísia lá no quarto, acordou completamente e deve estar sentada na cama, coçando a cabeça e pensando. Ontem Rosona pediu que ela se lembrasse de Diogo nas suas orações, Reza, Diú, ele precisa voltar! ficou repetindo e cobrindo a cara, estava na sala dos espelhos. Fui para a minha poltrona. Se pudesse, passava um telegrama para Diogo Torquato Nave Onde Ele Estiver: Rosa Ambrósio depende de você e eu dependo dela para viver. Ponto. Quer ter a bondade de aparecer? Assinado, Rahul.

Na condição de um gato com seus depósitos de gorduras e lembranças, no ranço das dobras me lembro de Rosona deitada no canapé e pedindo ao Diogo que lhe fizesse uma massagem relaxante nas costas, estava tensa. E queixou-se, Estamos nos afastando cada vez mais de um planeta de harmonia e nos aproximando rapidinho de outro planeta fervilhante de violência e desespero. Diogo atalhou-a, Não estamos nos aproximando, nós somos esse planeta.

5

O consultório de Ananta Medrado era de uma profissional sem vaidade. Disciplinada. Refletindo (como num espelho) o seu despojamento, já vestiu o avental. Calçou as meias brancas. Sapatos fechados, sem salto. A cabeleira crespa está rigorosamente puxada para trás e presa na nuca por uma larga fivela do mesmo tom castanho-escuro dos cabelos.

— Se você cortasse uma ligeira franja e pintasse os olhos, hein?! Bastaria um traço de lápis azul-turquesa delineando as pálpebras e pronto, seus olhos ficariam impressionantes! — sugeriu Rosa Ambrósio numa das suas primeiras sessões. Ananta deu uma resposta vaga, um dia quem sabe? usaria o *Cleopatra Exotic Eye Accents*. E cortaria a franja (ligeira) e passaria o verniz (incolor) nas unhas, Um pouco de brilho nessas unhas, menina! Mas o lápis-lazúli (presente de Rosa) há mais de um ano continuava intocado na gaveta.

Exotic Eye Accents. Os olhos amendoados de Ananta Medrado se apertaram ligeiramente. Era uma vez um rato que morava dentro de um queijo. Um dia o rato ficou curioso, quis saber o que se passava lá fora e foi espiar por uma das janelinhas do queijo. O gato viu o rato olhando pelo buraco e nhoc! fez ela tentando agarrar o reflexo da própria mão na mesa polida. Foi contornando a mesa, a expressão (maliciosa) de caçador levando a presa. Abriu a gaveta. Abriu a mão.

A flanela estava dobrada no canto da gaveta. Passou-a devagar na mesa. Passou-a nos poucos objetos e nenhum supérfluo: o telefone castanho (no som mínimo a campainha imitava um besouro enterrado vivo) e o cinzeiro sem cinza. O relógio prateado e o bloco de notas com a caneta de prata. A peça mais imaginosa era o abajur que lembrava um olho quando aceso, estava aceso.

Ananta estendeu a mão para apagá-lo e tirou da gaveta a agenda maior. No retângulo branco da capa e que era reservado ao seu nome ela escreveu com letra de fôrma que fizera *um esforço incessante para não ridicularizar, não lamentar e não desprezar as ações humanas mas compreendê-las.*

Com outras palavras e antes de Spinoza aquele Jesus não dissera a mesma coisa? *Não julgueis e não sereis julgados; não condeneis e não sereis condenados; perdoai e sereis perdoados.*

Abriu a agenda na página indicada pelo marcador de couro. A observação no alto (tinta verde) fora escrita com letra nítida: *Da inconveniência* (grifado *inconveniência*) *de se instalar o consultório na própria residência. Pior ainda, aceitar um caso residente no próprio edifício.*

A imprudência era ter aceito Rosa Ambrósio morando ali embaixo, devia falar sobre isso com o doutor Nazarian. Com urgência. E se aconselhar (também com urgência) na imobiliária, poderia vender o terreno do Morumbi para comprar o conjunto das salas. No caso de fazer o negócio, Flávia aceitaria ficar com a sala maior? Um lembrete (urgentíssimo): mandar consertar a secretária eletrônica. Vinham em seguida as sessões do dia, Heloísa, 2 horas. Lulu San Martin, 4 horas. Rosa Ambrósio (a confirmar), 5 horas. Cancelar o encontro na D.D.M. Livraria. Noite livre?

A interrogação, contrastando com a letra ordeira, tombava (desgarrada) no branco final da página. Guardou a agenda mas ficou com o marcador franjado. Passou a franja acariciante no queixo. Olhou o relógio da mesa. O relógio-pulseira. Tinha ainda vinte minutos, concluiu e aproximou-se do divã coberto por uma leve manta xadrez. Contornou-o e chegou à estante com prateleiras que subiam até o teto. Percorreu distraidamente os livros (quem quer ler agora?) e voltou a guardar os óculos. Sentou-se na cadeira (a sua cadeira) colocada ao lado e um pouco atrás da cabeceira do divã-catre. Juntou os pés. Dobrou o tronco para a frente e ficou olhando os sapatos.

Desde criança ela sempre gostou do jogo-sem-nome que consistia apenas em rondar o alvo desejado (e quanto!) mas sem a menor pressa em atingi-lo. Até que inesperadamente, flexionando as pernas e inclinando o corpo para trás atirava a seta certeira no centro dos círculos negros, lá onde estava desenhado o coração vermelho. Antes, o paciente ensaio da dispersão nos círculos que cercavam (e fechavam) o alvo da prancha. Deixar crescer a expectativa retardando o instante de cravar os dentes na maçã escondida no bolso da calça, a maçã ficava no fundo desse bolso. O encanto estava em circular com naturalidade sem levantar suspeita, o prazer (maior) estava nisso, em se expor se escondendo. O risco do queijo. A paciência em esperar pela hora propícia amadurecida no escuro. Ousar (com coragem) a alegria proibida. Proibida? Voltou-se bruscamente para a janela com suas cortinas caindo retas, do mesmo tom castanho-claro do tapete. Havia sol lá fora mas o tecido compacto permitia apenas a passagem de uma luz discreta.

Opacidade. Quietude. Por que proibida? Essa alegria. Onde estava a transgressão se a janela (ou a fruta ou o doce) lhe pertencia, pois não pertencia? Pertencia e não pertencia. Esticou as pernas e recostou a nuca no espaldar da cadeira.

Voltou para o teto o olhar atento. A respiração ficou acelerada. Curta.

— Tenho um Vizinho — anunciou e enfiou a mão no bolso, como se fosse tirá-lo dali. Chegou a se levantar, dar alguns passos na direção do toca-discos encaixado na estante junto dos potes de orquídeas. Voltou à cadeira. Sempre precisou de música para pensar e repensar nos problemas (teoremas!) próprios e alheios. Constelações de teoremas terrestres e celestes, os celestes ficavam com o professor Gregório e seus telescópios. O estranho professor Gregório formando com a atriz e a filha uma constelação rara. Misterioso até na morte, não foi um enfarto fulminante, foi outra coisa fulminante, outra coisa o quê? Ananta fez o gesto delicado de quem afasta um inseto delicado, agora não queria pensar no professor com seus teoremas, a vez era do Vizinho.

Silêncio e calma para se concentrar nesse Vizinho instalado no andar de cima, o sétimo. Instalado? Nenhum móvel. Nenhum objeto. Não sabia de onde ele viera, não sabia para onde ia, não sabia nem se era real. Sabia apenas (procurou os óculos) de uma presença tão forte e tão poderosa que certa noite teve o pressentimento de que a face (ou focinho) ia aparecer no teto, chegou a olhar o teto. Ainda não, pensou abrindo as mãos. Examinou as unhas. Pareciam mais escuras essas unhas e as escovara como fazia todas as manhãs. Outra coisa singular (tantas singularidades!) é que as unhas escureciam quando ela ficava assombrada (ou fascinada) e nem toda água e nem todo sabão do mundo, como dizia Rosa Ambrósio olhando para as próprias na hora do remorso. Os mais raros perfumes do Oriente — Shakespeare? Difícil dizer, o repertório da atriz se misturava ao das peças num caos que se assemelhava ao fundo da sua sacola onde ia enfiando tudo — dinheiro, pente, batom, cigarro, caderno de endereços, aspirinas, chaveiros, colírios. Tanta dificuldade em pescar um simples isqueiro naquele fundo, lembrou Ananta tirando os óculos. Fechou-os na mão. E nem precisara deles para ver (captar) o Vizinho que chegava todas as noites no sétimo andar, o das goteiras. Sem identidade. Sem bagagem. Refugiando-se no escuro até virar um cavalo, aquilo não era um cavalo? Um cavalo.

Entrava no seu andar de homem ainda jovem mas prudente. Vigoroso mas cauteloso, não queria ser notado e por isso exagerava na discrição. No cuidado (não acendia as luzes) de pisar sem obstáculos e sem precipitação. O ritual dos gestos: tirava o chapéu, os sapatos. A capa impermeável era a peça mais difícil porque indócil, podia distinguir o ruído frio do tecido (preto) sendo dobrado. Amontoava tudo num canto. Deitava-se nesse chão sem tapete, exatamente no cômodo que correspondia à sala onde ela recebia seus pacientes. E entregava-se (também ele paciente) à metamorfose. Às vezes chegava mais tarde e seus movimentos pareciam mais vagarosos. Ou essa vagareza correspondia (por contradição) a um ritmo mais veloz? Imitando o recurso-clichê do cinema que recorre à câmara da lentidão quando quer exprimir velocidade.

O Vizinho entrava homem e virava um cavalo. E depois? Espera. Vamos questionar sem afobação, com lucidez — mas era possível? raciocinar com a frieza de um equilibrista na corda, olhando em frente, um pé depois do outro. Um pé depois do outro. Obedecendo ao ritmo interior (isso era decisivo) até chegar lucidamente ao fim da travessia.

O ritmo interior. No diário (na gaveta da mesa holandesa do quarto) escreveu Ananta com alguma ênfase que o mês de abril trouxera uma novidade: chegara o novo Vizinho da cobertura. Como seria ele? Alto (intuiu que era alto) e forte embora pisasse com leveza, com medo de perturbar. Perturbar a quem? a ela, a vizinha mais próxima desde que acima estava o céu. Estava a noite com a qual ele chegava na sua capa de névoa. Aparentemente um homem só com seu segredo e seu ritmo.

April is the cruellest month, citou com letra miúda. Desenhou um pequeno coração inocente e dentro dele escreveu o nome, T. S. Eliot. Na página seguinte (outro dia) contestou com humor que o mês de abril não é o mês mais cruel, é o mês mais louco. Uma nota adiante sobre o debate na USP que tinha corrido bem, havia interesse sobre o tema A Condição Feminina, Aborto. Mas lamentou a falta de Jô (viajando) e a falta de Flávia (gripe) que seria a moderadora. Confessou ter feito o que pôde mas não estava em forma porque saía (ou entrava) na enxaqueca. Doutor Nazarian fora hospitalizado, suspeita de pedra no rim.

Prosseguia o diário na quarta-feira 3, quando ela começou dizendo que tinha andado duas horas e que se enlouquecesse um dia seria uma louca ambulante e não estática. Corrigiu adiante, pode ser que seja extática, não sabia. Não sabia. Doutor Nazarian fora operado (vesícula) e passava bem. Marta Martelli ocupara a hora de Lulu Martin e falou quarenta minutos sem parar (delírios) e depois dormiu. Vodca? sugeriu e prosseguiu (mudança de caneta) informando que na despedida (promessas, lágrimas) ela deixara na mesa o revólver com o qual disse que ia se matar, um revólver de plástico. A breve visita à creche onde verificou que falta tudo (crise geral) e onde deixou um cheque para a compra de dois berços. A enxaqueca (fortíssima) tinha voltado. Não foi ao Conselho mas emprestou o carro à Flávia para apanhar as meninas. Quero andar, escreveu com sua modesta letra que ocupava um modestíssimo espaço. Livraria e farmácia, lembrou e fez a relação das compras, aspirinas, colírio, cotonetes e lenços de papel. Absorventes.

O telefone (e a secretária eletrônica?) tocara algumas vezes: o pai de Marta Martelli queixando-se da inflação e da filha que se apaixonara por um delinquente, não seria fácil para ela (analista) afastá-la do punk? O chamado de Cordélia teve dois tempos, no primeiro disse que estava apaixonada (Quase morri de prazer!) por um namorado (sessenta e quatro anos) que ia abandonar a mulher, filhos, negócios (banqueiro) para fugir com ela para a Austrália. No segundo tempo, ocupou-se de Rosa Ambrósio que andava bebendo demais, queria saber se não seria conveniente internar a mãezinha que piorou (teria dito pirou?) desde que Diogo (um ingrato) foi embora. Pediu uma consulta, precisava de orientação. Respondeu que não podia (em nenhuma hipótese) recebê-la.

Ananta fez uma pausa no diário. Depois de algumas linhas em branco, recomeçou (outra caneta) com letra mais enérgica frisando que lhe fizera um bem enorme a caminhada (quase duas horas) pelo parque. Com o momento mágico em que abraçou apertadamente o tronco de uma árvore, sentindo na pele o áspero das gretas. Recorro assim às minhas reservas florestais, escreveu e grifou. Vinha em seguida uma observação, ia transferir Rosa Ambrósio para outro colega. Doutor Moisés? Rosa Ambrósio (não aceita mulher) disse que precisa de uma trégua, então o Doutor Ivan?

A letra agora fluía leve: *Aspirina americana de Flávia. Efeito rápido. Ligou ML (retorno) e Flávia. Pesquisa sobre o adultério na literatura, Capitu é inocente ou culpada? Não sei, respondi. Flávia riu, para a maioria (homens) Capitu é inocente e Dom Casmurro, um neurótico. Para as mulheres, culpada. Poucos (dos consultados) leram o romance. Concordei, ninguém lê. Desligou, tem namorado novo. Duas chamadas, engano. Tirei o som do telefone, liguei o toca-discos. Quando me sentei passava das nove horas. Noite fria. Procurei (inutilmente) a antologia de C. D. A., a faxineira veio ontem. O ruído começou em cima. Troquei o disco (Chopin) e apaguei a luz.*

Ananta sentiu a cabeça como uma lâmpada ardente que é desatarraxada do corpo e colocada (com cuidado) ao lado da lâmpada suplente e apagada. Sem dor. Atarraxou a suplente e ficou esperando. Os ruídos recomeçaram, vagos no início. Espaçados. Até que foram ficando mais violentos, como se o Vizinho se atracasse com alguém numa luta feroz, intensa mas contida. Tanta vontade dos lutadores em não deixar transparecer a hostilidade dos corpos atracados e tombando borrachosos, em convulsão. E de repente ficou um só corpo a se espojar sem controle até se agarrar a alguma coisa (a porta?) antes de explodir no acesso de choro. Um choro esguichando por entre os dentes travados na obsessão do silêncio. Os soluços (silvos) diminuíram.

Ananta apertou a cabeça entre as mãos, a dor era real ou apenas memória da dor? Sentiu medo. Compaixão, agora a música era insuficiente. E se os vizinhos (quais?) descobrissem. Sabia apenas que antes da metamorfose o Vizinho se repartia em essência, exatamente como acontecia com sua cabeça na hora da dor, tinha a cabeça fixa que ela desatarraxava. E tinha a outra, mas o corpo permanecia único, aquele desesperado corpo espojante com seus acessos de choro. De tosse, lembrou e Ananta sorriu porque desconfiou que a tosse que ouviu era a própria. Quando acabou tudo, restou a música que ambos ficaram ouvindo calmos, o Cavalo e ela. Desligou o toca-discos e deitou-se febril. Mas flutuante.

Pavor. Pavor, ela escreveu na página seguinte. Sem data. No espaço em branco desenhou uma pequenina estrela mas não contou que Marlene a achara pálida e fez um suco de cenoura, A senhora está doente? Respondeu que não, talvez a enxaqueca. Perguntou à empregada se por acaso conhecia o novo inquilino, o do sétimo andar. A moça sacudiu a cabeça, não, nem chegou a vê-lo mas parecia (informação do porteiro) um senhor muito distinto. Não se mudara ainda por causa das goteiras.

— As goteiras — disse Ananta tomando o suco em pequenos goles. E pediu à Marlene que saísse mais cedo, o céu estava se fechando, podia cair uma tempestade. E não precisaria se preocupar, Eu faço o meu chá.

Quando Marta Martelli chegou atrasada e eufórica, Ananta tomou disfarçadamente uma aspirina dissolvida na água e colocou os óculos.

— Então, Marta.

— Meu pai me deu dez mil dólares, já pensou? Vou com meu namorado para Londres!

Disse em seguida que iam para Lisboa. Ananta entregou-lhe o copo d'água (pediu água) e quando ia voltar à sua cadeira, a moça levantou-se de um salto, Não posso continuar, estou aflita demais, quero ir embora, não fica triste comigo?

Ananta acompanhou-a. Abriu-lhe a porta.

— Você é que sabe. Não quer o elevador?

— Adoro pisar neste tapete, tchau!

O gato de Rosa Ambrósio estava sentado no meio do lance superior da escada. Ananta olhou-o atentamente, ele dormia ou fingia dormir? Tinha os olhos apertados, reduzidos a um fio luminoso e vacilava ligeiramente na dura posição de esfinge. Estendeu-lhe a mão, Quer entrar, Rahul?

Ele não se moveu. Suavemente ela foi fechando a porta como se pedisse licença, Posso? Foi à cozinha e avisou Marlene, O gato está sozinho aí fora.

— Ele cisma às vezes de circular pelas escadas, já avisei a Dionísia — acrescentou e cruzou os braços na altura do ventre. A boca apertada num ricto dolorido. A cólica. Não vou poder sair e tinha que fazer compras.

— Pode deixar, eu vou. Por favor, a lista. Tomou algum remédio?

— Os de sempre. A senhora vai de carro?

— Prefiro andar um pouco. Pode ir embora se quiser mas não venha amanhã se não estiver bem.

Quando Ananta saiu o gato estava no mesmo lugar e de olhos abertos. Cumprimentou-o, Até logo, Rahul! Ele recuou, desconfiado. Ela interrompeu o gesto de carícia, Já entendi, fique em paz.

Encontrou Cordélia no jardim do edifício, vinha entrando. Cortara o cabelo como um rapazinho e parecia radiante com sua minissaia preta tão justa que tinha que dar passinhos miúdos.

— Querida Ananta, aonde vai você? — Antes que a outra

respondesse, aproximou-se, levantou a blusa (larguíssima) e mostrou-lhe os seios, não usava sutiã, Olha a minha linda tatuagem, Ano do Dragão!

Ananta colocou os óculos para ver o pequeno dragão de asas que ela mandara tatuar entre os seios. Tinha os seios de ninfeta.

— Bonito.

Cordélia baixou a blusa e a voz. Tocou-lhe no braço.

— O Franz fica horas olhando meus seios, disse que não é *voyeur* mas até baba de delícia, sinto tanto prazer em sentir o prazer dele, você entende isso, Ananta? Você entende?

— Tenho que ir, a mercearia vai fechar.

— Você já sabe, não? contratei um novo secretário, vai cuidar de tudo e tem coisa à beça. Isso enquanto o Diogo não volta mas ele vai voltar, tem que voltar, vai dar tudo certo! Estou tão feliz — disse e tomou a mão de Ananta, beijou-a. — Não se importa se eu me despedir aqui? Tenho um compromisso e preciso lavar a cabeça. Sabe que eu te quero muito?

Anoitecia. Ananta ficou parada, olhando o céu de um suave azul arroxeado. Sem vento. No ar, o perfume de Cordélia que fazia pensar num tufo de folhagem, ela gostava de perfumes como a mãe. E tinha o mesmo jeito derramado de agradecer e agradecer e agradecer — o quê? Poderia dizer-lhe em troca que ela, sim, ela agradecia o instante em que descobrira de repente no cabelo de andrógino e no belo peito tatuado uma outra espécie de vida que era alegre e transitória e vã.

O vestíbulo estava escuro. Acendeu a luz e pensou que poderia colocar ali uma lâmpada de mil velas e a luz (verdadeira) ficara com a moça do dragão tatuado que estava neste mundo a passeio, apenas isso. E contente porque cumpria a sua vocação.

Encontrou o chaveiro na bolsa mas não encontrou mais o gato na escada. Nem encontrou Marlene no quarto. Abriu a cesta na mesa, encheu a jarra d'água e nela mergulhou as margaridas. Algumas tinham as corolas meio pendidas. Nas pontas dos dedos foi levantando as cabeças desmaiadas, aproximando-as das erectas para que se amparassem nelas. Levou a jarra à sala, mais agudo o desejo de comer chocolate, precisamente o tablete que estava no fundo da cesta. Comeu o tablete com voracidade (o pensamento nele) e vigiou o relógio (quase oito horas) enquanto desembrulhava outro tablete (o pensamento NELE), mastigando e calculando rapidamente o tempo que lhe sobrava para recomeçar o ritual da véspera. A coragem. A paciência.

Apanhou o disco que estava em primeiro lugar na prateleira (Bach) e que seria o fio-guia na noite do Vizinho que chegava tão desprotegido. E poderoso com seu impermeável preto e sua solidão. No passo de quem carrega um segredo agora repartido, ele sabia que no andar embaixo estava a cúmplice, mais do que cúmplice, a amiga. Ficou olhando o quadro de Edward Hopper ali na sua frente, *Night Life* e descobriu pasmada que nunca esse quadro teve tanta significação como nessa noite. O limpo e banal café de esquina de uma rua vazia de Nova York, o café quase vazio (só três pessoas no balcão) com o empregado de uniforme branco-azulado lavando coisas debaixo da torneira, xícaras? A longa fila dos banquinhos vazios contornando o balcão, tudo visto do lado de fora, através da comprida vitrine de vidro. O silêncio sem moscas. O vidro sem poeira.

Ananta fechou a janela. E com a naturalidade com que recebia seus pacientes, sentou-se na cadeira e entrelaçou as mãos no regaço, esperando pelos primeiros ruídos que foram emergindo em meio dos sons do cravo, ele estava entrando. Ouviu os passos circulares na ronda da fatalidade, ainda o espanto. Ainda a contenção toda feita de cálculo, ele se preparava. Quando a respiração se acelerou, vieram os espasmos, o corpo crescendo intenso com a música (aumentou o volume) até estourar em focinho, cascos, crinas. Ela tirou os sapatos, deitou-se no divã e cobriu-se com a manta. O úmido resfolegar soprando furioso por entre os dentes, as veias saltadas, os olhos. O latejamento crescendo na acomodação das carnes, peles — ah, demorava para que as coisas ficassem em seus lugares. Nos lugares certos, ela se certificou quando a respiração entrou num ritmo mais calmo. Abriu as mãos que doíam, fechou-as de novo mais devagar, o olhar no teto. Cobriu a cara com a manta quando restou apenas o som da música, Prelúdio e Fuga.

No diário vinham agora algumas páginas em branco, as últimas desse mês de abril. No dia 30 ela recomeçou com sua letrinha verde: *Ele sabe que eu sei. Ontem, a tempestade com trovões, raios. Marlene saiu mais cedo. Chegou Flávia (sete horas ou quase) querendo saber se o seu Foucault estava comigo,* História da Loucura. *Respondi que não, mas da loucura tinha outras histórias, serviam essas outras? Segundo a pesquisa que fez (adultério) a Capitu foi condenada. Condenada pelas mulheres (culpada) e absolvida pelos homens. Conclusão (irônica) de Flávia, os homens (ingênuos) não conhecem as mulheres mas as mulheres se conhecem perfeitamente. Voltar ao tema com Flávia. Que levou o ensaio de Freud (sonhos) e foi à reunião das voluntárias, defesa das mulheres espancadas. Levou o carro. Na despedida (já no elevador) contou que rompeu com Alex, ele voltou com a mulher.*

— Maio é o mês das flores — disse Marlene. Regava o pequeno pote de crisântemos brancos em cima da mesa. — E estes estão durando, sinal de que a dona Rosa deu de coração.

Ananta concordou com um leve movimento de cabeça, sim, estavam durando. Voltou-se para o telefone silencioso naquela manhã. Uma raridade, murmurou agradavelmente surpreendida. Lembrou que na noite anterior tivera que reduzi-lo ao volume mínimo de som e mesmo assim o besouro enterrado vivo perturbara na tentativa desesperada de varar a camada sufocante e vir à tona.

— Ontem, depois que você saiu ele tocou sem parar.

Marlene enxugou com a flanela as gotas d'água que caíram na mesa. Minha avó italiana dizia que gente agitada piora demais com a mudança da lua e Dionísia disse que a lua mudou ontem. Ananta baixou a cabeça, a agenda aberta na frente, a caneta em suspenso, pronta para recomeçar assim que a empregada saísse. Recostou-se então na cadeira e fechou a agenda. Os chamados aluados. Começou por Rosa Ambrósio querendo saber com voz pastosa em que mês estavam. E sem esperar pela resposta contou que no sonho (mais um) viu Diogo entrando com um ramo de rosas vermelhas, Rosa Rosae! cheguei com a Primavera! Assim que Rosa Ambrósio fez uma pausa, pediu licença, Preciso desligar. Foi a vez de Flávia fazendo um convite, tinha duas entradas para o balé russo, por acaso ela gostaria de ir com alguém? Por acaso tinha um trabalho urgente nessa noite, desculpou-se e pensou que seria bom rever o *Lago dos Cisnes* com todas aquelas brancuras de tules e asas. A campainha a sacudiu do devaneio, era Marta Martelli pedindo mil desculpas até perguntar com voz cerimoniosa se podia marcar com urgência uma nova consulta, Houve um imprevisto, adiantou e desatou a chorar. Quando se acalmou (aparentemente) confessou que mentiu sobre os dólares, sobre a viagem (Espanha) e sobre o namorado que estava preso como traficante. Queixou-se da saúde (náuseas) e do pai (um monstro) que contratou um detetive para segui-la. Acabou por dizer que estava (devia estar) com aids, queria se matar. Ananta marcou-lhe uma hora (a primeira) para o dia seguinte e quando conseguiu desligar, recomeçou a campainha. Como se pegasse num ferro em brasa ela levantou o telefone com as pontas dos dedos e depositou-o na mesa. Chegou a ouvir a voz trovejante de um homem (o pai de Marta?) insistindo, Alô! Alô!...

As tempestades. E a própria se armando lá fora.

6

Com seu passo silencioso Ananta foi até a janela. Abriu uma fresta para que entrasse um pouco de ar na sala esfumaçada. O vento levantou bruscamente as cortinas. Recuou. Sentou-se e ficou ouvindo o piano (Chopin) na *Polonaise* que tinha o mesmo tom roxo-indignado do céu. Um crepúsculo violento, ela pensou lançando um olhar de desconfiança para o telefone (anestesiado) e para o divã (vazio) que já tinha mergulhado na penumbra. A manta de lã guardava vagamente a forma do corpo de Rosa Ambrósio que trouxe o gato embrulhado numa echarpe, Ele está com medo da chuva, querida.

O gato saltou para o chão e sentou-se de costas para as duas mulheres, olhando os potes de plantas. Rosa estendeu-se no divã e começou por dizer que as coisas na lembrança ficam tão mais belas. Viver infeliz na realidade e depois viver felicíssima na memória não seria a solução? perguntou. Para responder em seguida que isso podia acontecer com os outros mas na sua memória tudo era terrível. Um horror, acrescentou e virou a cara para a parede. Não quero mais falar, querida, quero ir embora.

Foi. Ananta apanhou o cinzeiro cheio até às bordas ao lado do divã. Hesitou sem saber o que fazer do cinzeiro (qual dos pacientes não fumava?) e acabou despejando tocos e cinza dentro de um envelope que tirou da gaveta. Depositou o envelope fechado no fundo do cesto como se deposita um ovo. Então ouviu os passos em cima, ele chegava mais cedo e junto com a tempestade. Os passos (encharcados) foram se aproximando. Ela voltou à cadeira. Na pausa do silêncio veio o vento repentino desgrenhando as árvores, sacudindo os vidros das janelas. Mas apesar do céu desencadeado ela podia ouvir a goteira pingando delicadamente no sétimo andar, a goteira e a fúria.

Dobrou o corpo para a frente, endurecida. Tensa. E de novo lá em cima os passos agoniados. Nessa noite ele parecia alguns pontos mais deprimido embora tivesse a cobertura da tempestade para disfarçar o rumor da metamorfose. Mas arrastava-se encharcado também por dentro, Me ajude!

A música subiu fortalecida e ainda assim, impotente, o próprio piano martelado nas teclas, indignado e suplicando, Me ajude! Ela correu para deixar aceso apenas o abajur da prateleira, com a luz focalizada nas plantas, revelando e projetando caules e folhas na obscuridade verde. Uma pequena orquídea se abria em cor e sombra. Outra pausa no ruído dos passos. Ananta voltou à cadeira, o olhar mortiço na direção do telefone fora do gancho, no divã (vazio) meio dissolvido sob a manta amarfanhada. Continue, quis dizer ao vago sulco do corpo na lã. Apoiou-se na cadeira e foi deslizando para o tapete, o punho fechado batendo mansamente no chão.

A metamorfose chegava ao fim. Apoiou a face no braço direito distendido, ah, se pudesse alongá-lo e com ele chegar ao teto. Bater nesse teto como batia no chão, batidas fracas (tum-tum) no código que foi inventado enquanto repetia as batidas com mais força (tum-tum!) na mensagem enérgica, Não tenha medo (tum-tum-tum!). Eu estou com você (tum-

-tum!). Sou sua amiga (tum-tum-tum!). Responda se está me ouvindo (tum-tum-tum!). Por favor — tum! — responda!

Apenas a música no silêncio morno, empapado de chuva. Ela esperou. A tempestade tinha amainado. Cresceu o resfolegar do Vizinho sorvendo com dificuldade o ar, Mais ar! parecia suplicar o grande corpo aplastrado. Até que os haustos foram se espaçando. Ela repetiu as batidas, abrindo e fechando a mão nos intervalos para atenuar a dor nos dedos, Está me ouvindo?

A resposta veio inesperadamente. Contraiu-se inteira no susto e na alegria porque agora a resposta vinha tão nítida através do soalho nu. Com duas batidas firmes (tum-tum) ele avisou que já sabia, Eu sei. E o ruído da ponta do casco se esfregando no chão num movimento acariciante de tão brando, Eu sei.

Ananta ficou um instante imóvel, o pasmo somado ao pasmo de ser ainda capaz de se pasmar. E a excitação (quase insuportável) pela revelação do amor, abriu os braços. Fechou-os em seguida contra o peito e foi rolando suavemente até o toca-discos, rolando e repetindo Eu te amo eu te amo eu te amo. O choro contido soltou-se veemente, que ele ouvisse, sim, o pranto que era uma celebração, Eu te amo! Tateou na penumbra até encontrar o disco que escolheu na pilha da prateleira, os primeiros sons coincidindo com a tempestade que recomeçou, *Os Noturnos.*

— A decisão é sua — disse Ananta afastando um pouco o fone do ouvido. — Estou ocupada, Marta, preciso desligar. Sua hora é daqui a pouco, esqueceu?

— Espera, quero contar uma coisa!

— Agora não.

Desligou e ficou olhando a echarpe que Rosa Ambrósio trouxera, Presente de aniversário, querida, não é deslumbrante? Respondeu-lhe que o seu aniversário ainda estava longe, seria em dezembro. Rosa pareceu não ter ouvido,

Tenho mania com echarpe, tem que ser comprida e dar voltas voltas voltas...

Ananta dobrou a seda tão bem dobrada que a reduziu ao volume de um pequeno lenço. Guardou-a na gaveta. O perfume de Rosa Ambrósio. E o cheiro do uísque recente no hálito, um cheiro curiosamente adocicado. Olhou o relógio-pulseira. Tirou do bolso do avental um caramelo que começou a mascar com um prazer malicioso. Rosa vinha às vezes com uma pastilha de hortelã que trincava entre os dentes, os óculos escuros escondendo os olhos. E ainda o gato para confundir o confundido, sua paixão. Sua culpa. Que se misturava ao ódio que sentia pelo próprio corpo, o traidor! Ele não é o mesmo, Ananta, muda depressa demais!

As metamorfoses aparentes e inaparentes, as últimas mais perigosas porque sorrateiras. Ela ainda não viu nada, pensou Ananta tirando os óculos. Guardou-os no bolso do avental, sentou-se e ficou olhando o teto. Durante o dia era o convencional retângulo branco da sala de um apartamento de luxo (assim apareceu no anúncio) com quatro amplos dormitórios (suítes completas) e demais dependências em estilo colonial. Teto rebaixado. Fino acabamento. Mas assim que o Vizinho chegava, a laje de concreto armado (do que era feito um teto?) entrava num rápido processo de estranha alquimia que transformava a massa sólida em massa pastosa, beirando quase o estado gasoso. Senão, como intuir através das transparências do teto esgarçado a chegada dele mais fugidio do que uma sombra. O chapéu desabado. A capa impermeável de gola levantada. E os sapatos que não rangiam, eram solidários.

No início eram tantas as perguntas que fazia a si mesma e com tamanha ansiedade. Mas as perguntas essenciais (e supérfluas) tinham ficado lá no começo. Não queria mais respostas. Não queria explicações. Conseguira sair do labirinto que tinha na porta de entrada o Moinho das Dúvidas trabalhando inesgotável como o Moinho do Diabo da historinha do Arco-da-Velha. Era uma vez um mercador que roubou o moinho mágico do seu companheiro de viagem, um moinho tão maravilhoso que moía tudo o que o dono ordenasse. O mercador ficou com inveja e durante a noite roubou o moinho enquanto o dono dormia. A primeira coisa que o mercador-ladrão pediu para o moinho moer foi uma sopa de peixes, sabia a palavra mágica para ordenar uma sopa mas descobriu que não sabia a palavra-chave para fazer parar o jorro. Que encheu o prato e a terrina e transbordou para o chão, o homem sacudia o moinho e gritava dando ordens, que ele parasse imediatamente, imediatamente! E o moinho moendo a sopa que começou a inundar a casa, se esparramou no terreiro, cobriu as plantações e transbordou até as aldeias e cobriu as aldeias, os vales, os montes até ficar sendo o próprio mar. Onde (lá no fundo) ele continua tranquilo moendo água, peixe e sal.

Que palavra secreta ela teria dito para fazer silenciar o seu moinho interior? Não sabia. Sabia apenas que em certas noites se sentia tão insegura quanto ele. E ainda assim, tinha forças para animá-lo solidária, transmitindo através da invenção do código (coração-mente) a linguagem do amor.

Captava (em fragmentos, embora!) a imagem do homem quando se concentrava, os olhos postos no teto: maxilares proeminentes, a boca bem desenhada, o queixo quadrado. Nariz forte e olhar intenso, brilhando sob a aba do chapéu. Que tirava (era preciso insistir) assim que entrava na sala. Um homem grande e cauteloso no andar. Tirando sem pressa a capa, o medo amarelecendo a cara, não medo da metamorfose que essa ele conhecia mas medo do próximo. Medo de ser descoberto e denunciado. Daí a boca calada mesmo no auge da convulsão, quando se entregava. Sem se conformar mas sem resistir.

Na primeira noite da descoberta, a primeira dúvida, e depois? Ele ia virar um homem outra vez? Chegou a tapar os ouvidos com as mãos, fechou os olhos. O pânico. E se tudo não passasse de um delírio? As alucinações auditivas (mais fortes do que as visuais) não seriam simples consequências dessa misteriosa febre interna que nem o termômetro (quebrado) podia medir?

Surpreendeu-se falando em febre interna com a mesma singeleza de Marlene, ela falava nesses calafrios. E se os calafrios na noite quente não passassem de agravantes da enxaqueca. A ligeira tontura quando se levantava de modo brusco, foi ao neurologista. Exames. Exames.

Saúde perfeita, um tanto fatigada, talvez, quem sabe alguns dias de férias num lugar calmo. Radiografias da cabeça, não teria alguma lesão cerebral que só agora (trinta e um anos) se revelava? Menina ainda, quando passava o fim de semana na fazenda dos tios, caiu do cavalo e feriu gravemente o braço direito, foi hospitalizada. Operada. Tinha ainda a marca da cicatriz fechando-lhe o pulso como um bracelete lívido. Mas não se lembrava de ter sido examinada na cabeça, ninguém se preocupou com a cabeça da pequena cavaleira?

Doutor Nazarian foi o portador das boas-novas, que ela não se inquietasse mais, não havia nenhum problema (teorema) nessa bela cabeça que ela apertava entre as mãos.

— Ele disse bela — murmurou Ananta alisando os cabelos. Examinou a fivela. Estava fechada. Deslizou as pontas dos dedos pelos botões do avental e foi até a cozinha, onde estaria o mel?

Quando voltou à sala inclinou-se para os potes de orquídeas. Mais um botão abria suas pétalas acetinadas que destilavam um perfume roxo-úmido. Recolheu uma folha murcha que pendia do caule como uma língua queimada. Fechou a folha na mão. Inútil (e tola) a tentativa de transformar a realidade em fantasia, era cômodo. Mas doentio. O Vizinho existia. Esse que chegava com a noite, sem feições. Sem palavras. A metamorfose que tinha a violência lancinante de um parto. Seguido da mesma calma, tudo depois ficava calmo assim que o corpo se assentava nas quatro patas, o casco se fazendo mais leve do que uma folha raspando o chão. Na noite anterior dormiu na cadeira enquanto esperava, ele chegou mais tarde. Assim que começou a metamorfose ela sentiu-se num estado próximo ao de êxtase: era como se o Vizinho tivesse marcado hora (todas as noites a sessão) para se estender no soalho com a pontualidade (e a ansiedade) com que os outros se estendiam no divã. Continue, ela pediu.

Ananta foi até a janela e afastou a cortina para ver o céu. Azul-anil sem nuvens. Olhou o relógio. Depois da sessão poderia ir (andando) até a Delegacia da Mulher. Dessa mulher (encostou a face no vidro) pela qual podia fazer tão pouco. Tão pouco especialmente pela mocinha com os seios furados por pontas de charuto, o amante fumava charutos. A crueldade acesa. Era dessa crueldade que o Vizinho tinha medo, o Vizinho e ela. Se ao menos pudesse escondê-lo num lugar defendido. Seguro. A antiga fazenda dos tios seria o melhor esconderijo, tudo dentro da natureza ficava natural, até ele. Antes e depois, principalmente depois.

Tirou a caneta do bolso, abriu o bloco verde de anotações e escreveu: *Às vezes eu me aproximo das pessoas como um ladrão que se aproxima de um cofre, os dedos limados, aguçados para descobrir tateantes o segredo. De olhos fechados tento abrir mais essa porta.*

Ananta levantou a mão que segurava a caneta e ficou olhando em frente. Chegou a sorrir quando acrescentou no papel: *Quero passar agora bem longe desse cofre, vê-lo de relance e me afastar rapidamente.*

A campainha tocou. Ela arrancou a folha do bloco e ficou um instante indecisa. Olhou em redor. A campainha de novo. Guardou a folha dentro do livro mais próximo (em cima da mesa) e guardou a caneta no bolso. Respirou profundamente. Destravou a porta.

— Boa tarde.

7

Agora ela dorme esparramada no chão, a boca entreaberta puxando um ronco de bebedeira. A camisola com a alça rasgada. Embolado aos pés da cama está o *robe de chambre* azul-claro adamascado, o espelho e uma escova de cabelo. Deve ter rolado para o chão atapetado e assim como caiu assim ficou. Implicava tanto com o meu rom-rom, Mas o Rahul é tão asmático, pobrezinho! O peito dele parece um vulcão que vai explodir. E não sabia que esse rom-rom era o motorzinho da alegria no tempo da alegria. Levezas de um gatinho sem lembranças que gostava de brincar com o raio de sol no tapete. Ou com o pingente da cortina até se cansar e dormir.

Subo na poltrona. O quarto está escuro mas vejo Rosa Ambrósio como se as venezianas estivessem abertas, são persianas essas tiras metálicas que se enrolam e desenrolam diferentes das venezianas verdes da minha vida de menino lá no casarão das três mulheres.

Minha irmã estrábica costumava abri-las com um movimento tão vigoroso que eu tinha a impressão de que ela se preparava para levantar voo subitamente rejuvenescida:

segurava nas duas argolas, ficava na ponta dos pés e dando um impulso para a frente, abria os braços e as folhas de par em par. Debruçava-se em seguida no parapeito da janela e prendia as venezianas com os bonequinhos verdes de ferro esmaltado que ficavam do lado de fora, um de cada lado feito sentinelas. Quando anoitecia, baixava os bonequinhos e puxava para dentro as venezianas que se fechavam como asas.

Tenho um nome de gente na minha condição de gato. Mas antes, quando eu era gente? Aquele é o menino da casa das venezianas verdes, alguém me apontou. Vou andando e olhando o carpete branco-azulado, será que ela vomitou? Há cinza de cigarro, peças de roupa, um copo tombado, manchado de vinho mas nenhum sinal de vômito. E o cheiro pairando no ar. Espantoso o laboratório que não descansa, o vinho perfumado acaba de descer e já começa a fermentação, tudo se transforma rapidamente na química humana. Para pior.

Ando na cama revolvida. Do alto dos travesseiros posso ver melhor o seu perfil. Que resiste como nas medalhas. Mas sem os banhos de sol, sem as massagens e duchas a pele se ressentiu, parece mais flácida. Baça. Cresce seu horror pela claridade, pela rua, Tanta violência lá fora! respondeu à filha. E depois, sair com quem? Os amigos foram se afastando à medida que sua estrela começou a ficar cinzenta. Restou a Lili que chega de repente toda enfeitada e quer arrastá-la a um restaurante. A um cinema. Ao teatro, nem pensar, já avisou aos que ainda fazem convites, Nunca mais piso num teatro.

— Mãezinha querida, você disse que ia almoçar comigo e não foi — queixou-se Cordélia.

— Hoje não acordei brilhante. A Diú leu o horóscopo, tem aí uma conjuntura de astros que é um horror.

Cordélia foi apanhar o cinzeiro. Transita descalça pelos dois apartamentos com sua leve bata oriental e com a graça de quem acabou de sair do banho, é mais bonita de cara lavada. Usa uns vestidinhos soltos, no estilo de uma túnica romana. Quando aparece assim — as coincidências! — lá das lonjuras me vem a imagem de uma jovem de túnica me olhando na alcova, minha mulher? Esqueça. Mãe e filha juntas. O diálogo breve. As visitas breves.

— Vinte e oito anos, Cordélia?

— Trinta, mãezinha, trinta.

— Aparenta dezoito, querida. Diminuo sempre a minha idade e a dos outros, essa mania de idade, hein?! Tirante o médico, alguém ousou algum dia perguntar à mamãe, Quantos anos, minha senhora? A gente agora dá um espirro e já vem a caneta, o microfone, o gravador, Sua idade? Enfim, os jogos já estão feitos, não importa mais. E os namorados?

— Agora só tenho um. E esse é rico, como você quer.

— Não quero nada, querida, a escolha é sua. Eu conheço?

— Esse a mãezinha não conhece, é banqueiro. Quer casar.

— Casar? Mas ele não é casado?

— É mas está se separando, infelicíssimo com a mulher, aquelas coisas. Quer me levar pra Austrália, já pensou? Austrália! Mas prefiro viajar sozinha. E trabalhando, mãezinha, tive uma proposta deslumbrante, vou ser a programadora cultural de um grande transatlântico numa volta ao mundo. Um amigo italiano dirige uma companhia de navegação, comecei a aprender russo! Contei à Ananta que aprovou a ideia, você sabe, ela adora ver mulher se sustentando. E acho que está na hora de batalhar um pouco, adeus amenidades!

— Como seu pai ficaria feliz se ouvisse isso. Mas cuidado, nesses navios de luxo tem velho à beça...

Juntaram as cabeças e riram baixinho. Mas essa Rosa Ambrósio tão compreensiva é a mesma que arranca os cabelos por ver a filha se degradando com a velharia? É a mesma.

— Você não quer viajar também? Vem comigo, mãezinha, de navio você gosta.

— Ainda prefiro as diligências. E chega de vagabundagem, hein?! Estou me preparando para uma fase de trabalho, quero escrever essas memórias, quero voltar ao palco. Preciso estar em forma.

— E a peça, mãezinha? Você já tem a peça?

— Claro que tenho mas é segredo, digo depois.

— Maravilha, maravilha! — exclamou Cordélia beijando-lhe a mão. Inclinou-se tanto que pude ver seu biquíni branco, uma fina tira de jérsei de seda cingindo frouxamente seus quadris de adolescente. Mas que notícia deslumbrante!

Um obscuro sentimento, mistura de náusea e cólera chegou a me aturdir. Rosona devia ter esse tipo de corpo quando Gregório a conheceu, mais alta do que a filha. E virgem, tantas vezes já repetiu que se casou virgem e que foram verdadeiramente deslumbrantes — o que para mãe e filha não é deslumbrante? — os primeiros tempos de cama, Ah, Lili, quanto amor!

Na despedida, Cordélia me viu, tentou me acariciar. Fugi para debaixo do canapé. Ficou correndo com os dedos pelo tapete, imitando um camundongo, Ô, gatão! você não me ama mais?

— Acho que ele só amava o seu pai.

O camundongo parou de me atazanar. Os dedinhos finos, de unhas com verniz incolor, foram se fechando. Afastou-se mas logo voltou eufórica.

— Mãezinha, que maravilhoso é o nosso secretário, um economista competentíssimo, acho que vamos ficar mais ricas!

— Esteve aqui filha, eu estava no banho. Que idade ele tem?

— Quarenta, por aí. Andava enjoada de mexer na papelada, odeio assinar cheques, bah! tarefa de iguanodonte.

— E se o Diogo voltar?

Saí do meu esconderijo e vi Cordélia parada, pensando. Para ganhar tempo desembrulhou a goma de mascar mas entusiasmou-se assim que começou a mascação.

— Se ele voltar, ótimo, vai servir só você, estrela é estrela!

Rosona esfregou a palma da mão no tapete e fez um movimento brusco. Rompeu-se a outra alça da camisola e apareceu o bico rosado do seu seio. A pele tenra não escureceu, não enrijeceu mas continua uma pétala intacta. Os homens — quantos? já se fartaram nela. E aí está como o seio nascente de uma menina. Procura agora me afastar com um gesto desorientado mas bem-humorado, É você, amor? Enfim, eu queria...

Emagreceu, os ossos apontam na gaiola do peito que se descobre sob a camisola, mas o que significa isso? Deviam vestir na mulher camisolas mais quentes, pijamas, ainda apanha uma pneumonia. Filha desligada, empregados ignorantes. Acho que está na hora daquele tipo voltar. Para um gângster, até que você ganha pouco, disse a Rosona na tarde em que ele levou o faqueiro de prata. Ia a um casamento, o terno preto com riscas de giz, os sapatos pretos, eu gostava de sentir o cheiro do couro dos seus sapatos. Apanhou um cravo já um tanto amassado que estava no vaso e acabou de amassá-lo quando o enfiou na lapela, era um cravo vermelho-escuro. Falou com indiferença enquanto se afastava, Ora, Rosona, você tem dúzias de faqueiros, não seja avarenta, é pra amansar aí um delegado, meu amigo foi preso. E não me pergunte se é culpado. Trarei da festa aquele docinho embrulhado e amarrado com uma fita, como se chama esse doce? Está em todos os casamentos. Ela passava a lixa nas unhas, Bem-casado, respondeu mas ele já tinha saído.

— É você, Rahul?!...

Respondo caminhando ao longo das suas coxas. Chego até a meia-lua do ventre macio. Tiro as unhas e arranho de leve esse ventre, precisa parar, Rosa Ambrósio! Parar, ouviu isso? Assim você morre, precisa parar! fico repetindo. Ela se encolhe. Uma gota de sangue brota do arranhão e é absorvida pela seda da camisola. Ainda uma vez tentou me tocar. Desistiu e voltou a dormir fechando a boca.

E pensar que um dia Gregório a amou. Que fizeram juntos uma filha. Durante tantos anos estiveram lado a lado nessa cama, só no final ele foi dormir no escritório, na singela cama-divã que usava quando se sentia gripado e não queria passar-lhe a gripe. Muitas vezes me chamou, queria que eu ficasse aos seus pés, chegava a armar um ninho de cobertas, Aqui, Rahul! Recusei sempre, eu o amava demais para partilhar assim da sua intimidade.

Matou-se. Sua preocupação maior era não ocupar as pessoas, não ocupar principalmente mãe e filha já ocupadas com suas frivolidades. Não pesar para ninguém, nem mesmo para si próprio: não temia o corpo e sua morte, temia o corpo e sua doença. Conhecia esse corpo até onde foi possível conhecê-lo, estudou-se. Esmiuçou-se. As probabilidades. Os riscos. Conversava às vezes com seu médico, aquele primo que rapidamente assinou — rapidamente demais — o atestado. Informava o médico-primo do seu estado de saúde, isso em meio de conversas distraídas, que conduzia habilmente enquanto bebiam e a música rodava. Só eu sabia que preparava o primo — e a si mesmo — para a morte que devia parecer inevitável.

Pareceu. Ninguém podia supor que a ideia de se ver condenado a uma paralisia ou coisa parecida o fizesse se precipitar assim. Só mesmo Diogo com sua astúcia e faro — foi raposa — podia desconfiar. Alguma coisa não estava se encaixando, o quê? Já ia sair para tomar providências quando por um brevíssimo instante ficou em suspenso, varado pela revelação. O corpo de Gregório estendido ainda na cama-divã para onde fora carregado por ele e pelo primo médico. A camisa aberta. Esse primo balançando a cabeça tristíssima e repetindo que tudo indicava que foi mesmo um enfarto fulminante. Quando? Por volta das onze, talvez meia-noite... E Diogo parado em meio do gesto que fez ao vestir o pulôver, a cara acesa na suspeita. Olhou para a cadeira onde Gregório foi encontrado. Para o abajur ainda aceso. O livro caído no chão. Teve uma expressão de quase volúpia, aquela com que mergulhava no seu jogo das palavras cruzadas. Pareceu ir reconstituindo com lentidão calculada os últimos movimentos do suicida, aqueles que acompanhei até o fim. Ananta já entrava com seu avental e sua aparente inocência. Diogo voltou-se para ela. Tocou-lhe o braço. Falou entre os dentes: Enfarto?... Ela aproximou-se do corpo de Gregório ali exposto. Trocou com o primo algumas palavras e só então se descobriu o que inexplicavelmente ela quis sempre conservar em segredo, é médica.

Médica a pequena Ananta que ninguém chamava de doutora, a mão limpa de anéis, as paredes limpas de certificados, diplomas. Compartilhou do exame com o colega quando ele recomeçou o exame. Assim que terminou, guardou os óculos no bolso. Apanhou a camisa xadrez de Gregório e cobriu-lhe o peito. Sim, não há dúvida, ela disse. Espero que tenha sido rápido.

Diogo aproximou-se. Trocaram um olhar demorado e no olhar, a resposta, Já está feito. Ele quis assim. Ficaram mais fortes os gritos de Rosona do lado de fora, batendo com os punhos na porta e as súplicas de Cordélia desfeita em lágrimas e a voz exasperada de Dionísia, Espera! gritou Diogo e as mulheres se assustaram. Arrefeceu o barulho no corredor. Diogo então voltou-se para Ananta que estava lívida. Vou tomar algumas providências, falou com calma, desviando o olhar para o chão. Quem sabe é melhor dar uma pílula para Rosa, coisa forte, tem que dormir algum tempo, acrescentou baixando mais a voz. Guardou o atestado de óbito na sua bolsa de couro. Não sei se pode haver velório em apartamento mas se o prédio é quase inteiro dela... Tudo bem, despediu-se e abriu a porta. Afastou as mulheres, Ninguém entra agora, vamos, agora não!

Os preparativos. A multiplicação dos passos e das falas. Quando Diogo saiu, eu quis segui-lo, seria fácil passar despercebido e escapar pelas escadas até a rua. E na rua, entre os sapatos, entre as rodas. Vida e morte no chão.

Subi na cadeira de Gregório, recolhi as patas e fiquei. Teria que descobrir a morte enquanto vivo, antes de entrar no labirinto de onde só poderei sair morrendo de novo. Para retornar — quem sabe? — na poeira de outras vidas. Mais sofrimento. Sem ser cristão sofro na carne a lança que me varou como varou o próprio Cristo. E sempre com as mulheres em redor — não é estranho? Estou sempre rodeado de mulheres que me pegam, me defendem, me ameaçam. Acariciam e castram. Os homens não se demoram muito mas as mulheres, essas resistem.

Recomeçar do nada, adiantaria? Não. Logo eu chegaria ao ponto em que estou, o ressentimento. A preguiça. E o mundo igual, igual a crueldade ou mais aprimorada ainda, a técnica aprimora os instrumentos. Atiça a imaginação. A violência da miséria se aperfeiçoando contra as crianças, contra os bichos. Empolgantes as infiltrações sentimentaloides nos discursos. Mas hoje eu sei o que quer dizer esperança, podem perguntar que eu sei. Só não posso responder.

— Rahul, é você, Rahul!...

O braço tombou novamente, Ô! meu Pai!...

Apesar de tudo, também ela resiste, essa Rosa Ambrósio. Com que ansiedade andou mexendo nas caixas de retratos, dezenas de caixas. Procurava por um retrato mais recente para um jornalista. Gregório tinha morrido e Diogo estava nos seus últimos dias. Na busca, a pilha enorme dos retratos da juventude. Ficou em êxtase, olhando. Comparando. E logo o êxtase virou terror, Meu Deus, meu Deus!... ficou repetindo. Rapidamente guardou tudo de novo nas caixas. Nas pastas. A vida comprimida no arquivo que Diogo começou a organizar. O pânico, mas então?... Sentou-se meio encolhida ao meu lado. Acendeu o cigarro e acariciou minha cabeça, Meu Deus... Sua depressão se manifestou em carinho, apertou minha pata. Afundou as pontas dos dedos por entre meu pelo, as unhas mais curtas, o que me tranquilizou, Diogo não permitia que ela deixasse as unhas longas, Mãos de Mandarim só na China dos Mandarins! Proibiu também que usasse esmalte de cor forte, então não percebia? eram sempre as mãos as delatoras, por que chamar a atenção dos outros para essas mãos? Tom de verniz rosa-antigo para uma rosa-antiga.

Ausência de sardas na mão que agora descansa entre os seios. Passa quilos de cremes nessas mãos. Em algumas noites de porre, vai ao banheiro e começa a abrir os potes. As bisnagas. Ao acaso e no escuro — não acende a luz — vai enlambuzando o pescoço. A cara, cremes e loções nos braços, nas coxas. Os vidrinhos de colírios, tem mania com colírios que a mão tremente tenta acertar dentro dos olhos.

Depois da morte de Gregório, só saía de óculos escuros e até dentro de casa não tirava os óculos. Tropeçava nos móveis, me chutou duas vezes. Vi Diogo arrancá-los num acesso de impaciência, Chega, Rosona! Não tem sol aqui dentro, tem? Quando ele foi embora, desinteressou-se em esconder os olhos. Deixou de sair. De telefonar, ela que vivia dependurada no telefone. Raramente ligava para a filha. Para a amiga, essa Lili que a fazia rir. Os banhos mais raros. Menos creme no corpo que caiu em desgraça. Pediu à Dionísia que lhe comprasse camisolas de flanela, aquelas de gola fechada, Sinto tanto frio, querida! Só espaçadamente retocava os cabelos e ainda assim, quando estava na hora de Cordélia aparecer, Mãezinha querida, mas que desleixo é esse? Lili chegou a fazer a operação-tintura durante uma visita e Rosa entregou-se, submissa. Califórnia, Lili? Quem sabe é melhor ficar por aqui mesmo, hein?! Um cansaço. Essa coisa de viagem...

Relaxada e beberrona, continuava metida na antiga camisola sensual das noites sensuais, veste a primeira peça que tira da gaveta. Uma bruxa seduzindo o tempo. Gente com caráter envelhece mais depressa, a responsabilidade é um arado cavando sulcos no couro cabeludo. Na face. Mas Rosona é irresponsável, será poupada.

Na minha natureza mais profunda, começou numa entrevista. Gostaria de saber onde se localiza a natureza mais profunda de Rosa Ambrósio nos seus cinquenta e oito ou nove anos. Que completou sem festa, Gregório já tinha partido. Diogo também. A filha ficou de aparecer mas deve ter se esquecido. Ananta mandou um cartão convencional, tinha um compromisso.

Quando Lili chegou com sua alegria e seu champanhe, encontrou Rosona metida numa bata indiana, maquiada e sentimental, bebendo vinho branco no canapé das meditações. Basta se enfeitar um pouco e ressurge a antiga beleza que a coloca sempre num plano de irrealidade. Com uma certa luz que vem de dentro e se derrama vagarosa sobre seu semblante, Diogo estava certo, ela ganha muito quando está nostálgica. Em silêncio.

Esperou que ele telefonasse. Não telefonou. Então se estendeu no canapé e ali ficou. Dionísia vestiu o uniforme preto com gola e avental de organdi branco e trouxe um enorme ramo de rosas vermelhas que chegou sem cartão. Então Rosona animou-se, Que mistério! E com inesperado apetite atirou-se à mesa de queijos e frios enquanto Lili sacudia as mãos de pulseiras e espuma, Depressa, uma taça! Rosona beijou-a, cantou com ela e Dionísia o *Happy birthday* aos gritos e correu para me pegar, Rahul adora champanhe! Fui me esconder na sala dos guardados. A sala de armas.

Tantos troféus empilhados. Caixas. Retratos que recebeu dos pintores com o maior alvoroço, Deslumbrante! para em seguida encostá-los no canto de onde não saíram mais. Os sapatos fora de uso ao longo das prateleiras da estante. Botas de todas as cores e feitios. Nas prateleiras inferiores, os poucos sapatos que Gregório deixou e que ela esqueceu de passar adiante. Ficaram nos sapatos o andar do sonhador. Deitei-me em cima dos velhos sapatos de lona, aqueles que usava para as longas caminhadas. Lá fora, a voz de Rosona afetando irritação quando desistiu de me encontrar para o brinde, É um gato egoísta!

Ele não é egoísta, é discreto, Gregório me defendeu tantas vezes. Discreto é você, eu quis dizer na noite em que se preparou para morrer. Na véspera, já tinha conversado com o primo médico, esse velhote tonto que meio vagamente já avisara, em meio de citações poéticas, dos riscos que ele corria. A noite perfeita, Rosona fora com Diogo ao teatro, só voltaria muito tarde porque depois tinha uma ceia. Cordélia jantava com um novo namorado e Dionísia tinha uma reunião na sua igreja. Ananta não seria nenhum empecilho mas era melhor que tivesse ido à Delegacia de Defesa da Mulher, uma mocinha foi estuprada pelo vizinho.

Restava o testemunho de um gato e foi esse testemunho que o fez hesitar. Ficou me olhando, pensativo: e se o bicho, consciente de que o dono está morrendo, sofrer essa morte? Tomou-me em seus braços, apertou-me demoradamente contra o seu peito, Então, meu gato?...

Levou-me à poltrona da sala e nela me acomodou tendo o cuidado de me rodear de almofadas, a noite estava fria. Passou a mão na minha cabeça. Passou a mão nos meus olhos para limpá-los da excessiva umidade. A mão branda e sábia tateou o meu focinho com a percepção de um cego. Quis lamber sua mão e me contive, sei da aspereza da minha língua.

Pisando leve, voltou ao escritório. Mas precisou sair para jogar na lixeira o pequeno embrulho. Disfarçado na bola de papel que amarfanhou, como fazia com seus escritos. Dessa vez, foi até a área de serviço, era arriscado deixar a prova no cesto do escritório.

Quando ouvi o ruído do seu pé acionando o pedal da tampa metálica, pulei da poltrona, entrei de novo no escritório e fiquei encolhido no canto que me pareceu o mais escuro. Ele chegou um pouco arfante. Descartado o vidro — ou caixa — apressou-se, já devia ter tomado o líquido. Ou pílula, que sei eu. Fechou a porta. O relógio. Tinha o tempo exato para arrumar o cenário da morte planejada. Chegou a ligar a vitrola mas arrependeu-se, sabia que só iriam encontrá-lo no dia seguinte, devia se constranger com a ideia de deixar a agulha girando pela noite adentro. O foco de luz que costumava acender atrás da poltrona devia ficar aceso. Apanhou o livro que deixara na mesa. Sentou-se na poltrona, o cachimbo apagado na mão. Quando afrouxou o colarinho da camisa xadrez foi para respirar melhor? A palidez estendeu-se da testa para a face com a transparência de uma máscara de cera amolecida. A boca teve uma contração ao se abrir com esforço. Passou a ponta da língua nos lábios brancos. Estendeu o braço para deixar o cachimbo na mesa junto da poltrona. O livro tombou-lhe do regaço para o chão. Levou de repente as mãos crispadas ao peito, agarrando a camisa. Tremeu inteiro. Lágrimas escorriam pelo seu nariz, pela boca quando inclinou a cabeça para o peito. Subi nos seus joelhos que se colaram num tremor que fez sacudir a cadeira.

Gregório! eu chamei. E o meu miado de dor foi o grito que ele não deu. Até que aos poucos o tremor foi diminuindo. Continuou a massagear o peito banhado de suor e com a outra mão afagou minha cabeça. Seu olhar líquido encontrou o meu, entendi o que quis me dizer, a dor estava passando. Cessou o tremor das pernas. Estendeu-as num relaxamento. O olhar ficou baço — por que tive o sentimento de que ele não estava mais ali? A máscara úmida apagou-se tranquila. Recostou a cabeça na almofada da cadeira e fechou os olhos. Fechei os meus.

— É você, Rahul? — perguntou Rosona alisando com a palma da mão a alça rompida da camisola.

Mas onde estavam todos? Como podiam abandoná-la assim?... E Diogo? Onde andava esse louco? Só ele poderia recuperá-la, só ele. Não era viciado mas sabia tudo sobre os vícios, sabia principalmente tudo sobre ela, fiscalizante e rigoroso como se nunca tivesse feito outra coisa do que cuidar de mulheres desbitoladas. A clínica para desintoxicação. O regime que seguia com a submissão de uma menina apaixonada.

Atriz medíocre, mãe egoísta, amante infiel e dona de casa descuidada, ela disse hoje para o espelho com expressão de desafio. Bebeu o resto do uísque, triturou entre os dentes um pedaço de gelo e enfiou na boca uma pastilha de hortelã, o olhar duro. Os lábios crispados. Impregnou-se tanto dos papéis que representou que facilmente passa de um papel para outro — fragmentos que vai juntando e emendando nas raízes, dependendo da conveniência. Um jornalista a esperava na sala. Optou pelo tipo despojado, a voz ligeiramente choramingante, Não sou nada, não quero nada... Diante de tamanha humildade o jornalista, um jovem inexperiente, resolveu ser franco e confessou que não conhecia o seu trabalho no palco, esperava que ela o ajudasse. Rosa Ambrósio recolheu o burel franciscano e ficou em estado de choque. Quer dizer que você vem à minha casa me entrevistar e nunca me viu representar, ela começou. A pergunta já era uma resposta. Levantou-se. Fez um agrado no queixo do moço com um gesto esvoaçante, como às vezes agrada o meu focinho, Se você não me conhece, querido, não podemos ter diálogo, disse e deixou-o perplexo, com jeito de criança a quem se tira o doce. Dionísia, traga um café para esse senhor, encomendou e voltou para o quarto. É uma afronta! exclamou para a própria imagem dura de indignação. Chorou quando pensou em Gregório, Nunca mais, hein?! Mas animou-se quando pressentiu que Diogo estava voltando, bebeu para celebrar e agora aí está desfeita. Estou exausta, vive repetindo. Está exausta.

— Rahul! — ela chama brandamente.

Miau, respondo e sigo até seu peito. Encosto o focinho na sua pele arrepiada, ouço o seu coração. As cavernas, as planícies e os bicos dos seios de pétala pálida. Tenho às vezes catorze anos incompletos, sou imatura como meu país. Há esperança para nós? ela perguntou a Gregório. Fez a pergunta rindo mas ele respondeu com seriedade, Há esperança, sim. Sinto o pelo se eriçar porque lembro que ele passava a língua por esse corpo na rota do desejo. No tempo do desejo. Vou pateando pelo mesmo caminho tortuoso.

Perigoso, ela está inquieta. Desço de novo até seu ventre. O triângulo sombrio sob a seda. Afundo mais nesse ventre, quero seu cheiro e me vem o perfume do talco jasmim que Dionísia polvilhou com fartura nas coxas, virilhas. Não sei por que fez isso na minha frente, isso que fez, tingir os pelos. Fui obrigado a ver tudo, eu. Valho menos do que a torneira. Ou do que o espelho sem memória.

O despudor das pessoas diante dos bichos, mas sou um bicho? Um bicho. Diogo teria dito bicha, isso se tivesse me conhecido lá longe, na cidade dos mármores. A praça com o homem de toga de púrpura e agora eu sei que esse homem era meu inimigo, havia no seu olhar a mesma crueldade que sofri depois. E foi lá onde conheci o amor.

— Eu não queria assim! — ela reclama e sua face se confrange. Enfim, não tem importância...

Fico olhando sua cabeça formigando de sonhos. Quando refaço o caminho, ela começa um movimento brusco que quase me atira longe. Firmo as patas na ponte movediça, podia cravar as unhas nesta ponte como fiz com o linho da poltrona. Procuro me acomodar entre seus seios. *Fui andando pela ponte, a ponte estremeceu. Água tem veneno, maninha, quem bebeu, morreu.*

Quem bebeu morreu, cantarolava a agregada para o menino da casa das venezianas. Não sei o que foi feito daquelas mulheres, a minha mãe enlouquecida. Minha irmã de mãos duras, tocando piano com tanta dureza e a agregada de olhos asiáticos da cor do lampião. E o menino, o que foi feito dele? Fiquei com amostras dos tecidos e não sei onde foi parar a peça inteira.

Não sei também o que será feito das mulheres desta casa. O que será desta mulher que vou pisando e que levantou a mão aberta, acenou para alguém que cruzou seu sonho.

Pulo para o chão e saio do quarto. Quero acreditar que agora Gregório já sabe. Na última aparição — uma sombra da sombra — me pareceu inquieto, um certo desassossego, como se procurasse em si mesmo algo que não conseguia achar, o quê? Chegou a fazer aquele seu gesto tão costumeiro de apalpar os bolsos onde deviam estar os bolsos mas dessa vez não queria se certificar se trazia o cachimbo. Ou o chaveiro. Concentrou-se olhando para dentro de si mesmo ou para o que restava nesse dentro.

— Meu Paizinho!... — ouço a Rosona chamar.

Quer o pai, qual deles? o que existia e fugiu ou esse outro que não existe e que ela chama com o mesmo amor. Vou até a cozinha, bebo leite, esvazio a vasilha de carne, sou um bicho, quero o apetite do bicho. Volto à sala e afio as unhas no tapete com o mesmo prazer com que devorei a carne. A campainha do telefone recomeça, e se for o Diogo? Não tenho nada com isso, digo a mim mesmo. E sei que tenho. Vou de cabeça baixa até o quarto em tempo de vê-la se enfiar debaixo da cama, quer se esconder. Sento em cima do seu pulôver embolado no chão e dou-lhe as costas enquanto faço minha toalete, lambo o cu com raiva, sempre a raiva e o amor. Acho que um dia ela foi a minha mãe.

8

É tarde no planeta! ele disse. Fico repetindo, É tarde! mas dou à frase uma intenção dramática, onde está o tempo está o drama. Aspiro a fumaça cinza-azul do seu cachimbo e ainda não sei como aconteceu, ele parecia eterno e foi morrer. Gregório, Gregório, fico chamando. Estendo a mão para acariciar os seus cabelos e toco numa tela ressequida, a organza. Eu disse organza e não orgasmo, ouviu, Cordélia? a suave organza que vi você desdobrar com gestos redondos sobre a sua lividez. Tentando disfarçar nos reflexos românticos do lilás o amarelo de cogumelo da morte.

— Você disse que ficou sozinha quando o Gregório morreu. E o Diogo? — ela perguntou. A analista.

Outra boa pergunta, dizem os políticos hipócritas que não fazem outra coisa do que mentir nas respostas, odeio mentirosos. E minto mesmo sem proveito, só não minto mais porque a mentira exige piruetas e estou exausta. Esvaída. Acho que me cansava menos quando representava, Ô meu pai! se ele voltasse. Não vai mais voltar? Se ele voltasse eu voltaria. A viver, querida. Com Diogo eu tinha certeza de que não estava fazendo papel miserável. O toca-discos ligado, aquele jazz que ele adorava, um negro no saxofone, me lembro até do nome que ele repetia tanto, Charlie Parker, é isso. Charlie Bird, *Bird Lives!* disse eu, esta nojenta. Esta nojenta repelente que lhe apontou a rua.

Estou repetindo tudo, já sei mas deixa eu repetir e repetir que ele se recusava ao jogo do faz de conta mas quando não restou mais nada, me ajudou a continuar jogando. Sonhando. Era um menino e de repente ficava tão maduro. Tão sério. Me ajudou a armar os cenários, Neste canto tem uma árvore, olha o papelão verde da folhagem! A cadeira lá na escada, está vendo? é um trono e você é a jovem princesa com um ramo de urzes nas mãos. Se eu caía ele me levantava mas com humor. O humor, Rosona, não perder o humor! Disse ainda, Preciso de você para me ver melhor nas minhas fraquezas. Aceitei ser seu espelho deformante mas nele me via perfeita. Embora me agredisse às vezes, era esse espelho que alimentava a minha fé. Quando Gregório foi embora, quando ele acabou indo também fiquei me vendo em estilhaços. Cacos! eu grito e ninguém me responde, perdi todos, minha filha. Meu público.

Mas estou calma porque sei que um dia, hein?!... Um dia ainda vamos nos encontrar e ficaremos para sempre juntos, nós dois de novo naquele começo deslumbrante, jovens e de mãos dadas, Gregório e eu numa felicidade insuportável. Em alguma parte ele está me esperando, sim, que não me venha aquela suspeita. Aquela. De que ele ficou lá mesmo onde o deixaram, tão quieto, sem a bendita fúria da rebelião, da ruptura, Gregório, não admita isso! grito e a massa ignóbil, a massa tristíssima, esvaziada. E habitada, Gregório, reaja!

Estou chorando e rezando, passou a indignação, passou completamente porque estou me benzendo com o fervor de uma criança, não quero ser inteligente nem nada, desejo ser uma quase idiota cheia de candura, de crença, só quero acreditar. Acredito, Dionísia, vamos cantar juntas, sua voz é tão bonita, o Diogo disse que você canta feito aqueles negros americanos lá da velha guarda, hein?!... Um coração simples, digo e me ofereço, me ensina. Você sabe cantar, sabe tudo, todos os meios de comunicação ficaram com você que amanhece colhendo notícias, o rádio ligado. E amanhece com o televisor fervendo, sempre atenta aos aparelhos comunicantes, Canta, querida! Melhor ainda se está em silêncio, rabugenta porque é na rabugice que interpela Deus, Ferro na boneca! Isso também passou da moda, palavras, pessoas, até as violetas. Tinha um perfume que a mamãe adorava, *Violeta di Parma*. Fala Sherazade! Cataclismas, desastres, escândalos, crimes, ah! o inesgotável fio vermelho-negro jorrando da boca da fonte com cara de leão.

— Você despreza os jornais porque não está mais neles — disse o Diogo.

— Acha isso mesmo?

Ele tirou da sacola de praia um livro sobre Trótski, levava esse livro por toda parte onde ia e até hoje não sei se chegou a ler até o fim. Tirou ainda a lata de castanhas-de-caju e os jornais da manhã.

— Acho. Estão verdes, Rosona. As uvas. Mas se uma folha treme nas suas costas não vai voltar correndo?

Há mais de quatro anos eu não pisava no palco e me sentia exausta, a ociosidade é cansativa. Recusei uma peça de Ibsen, me acovardei, Quero férias na praia! Gregório estranhou, Ainda o stress? Respondi que meu stress vai varar a eternidade, Estou cansada. Cansada. Ele tocou no meu queixo, levantou meus óculos escuros. E pediu que lhe trouxesse uma concha.

A praia selvagem no litoral. Diogo levantando de madrugada para ajudar os pescadores a puxar as redes, andando feliz pelas pedras, indo de bicicleta até a vila, gostava de comprar bobagens. Oferecendo-se ao sol com sua sunga vermelha, enlambuzado de óleo como um jovem modelo dos anúncios de cuecas e esperma. De jeans e esperma. De geleia de laranja e esperma — há neste país algum anúncio de geladeira que não recorra ao sexo?

— Ele não estava assim na moda quando eu era jovem.

— Quem? Quem não estava na moda?

Comecei a cavar a areia cintilante.

— A gente tem que fazer como o toureiro, sair na hora certa senão vem chifrada.

— Mas não tem cálculo, querida, tem é coragem. Na tourada e fora dela.

Arranquei a mão do buraco que se fechava pastoso lá no fundo com a gula de uma boca.

— As conchas desapareceram, queria levar ao menos uma. Gosta do meu maiô, Diogo? É antigo.

— É lindo, você está sempre bem quando usa o estilo clássico.

— Idade Média.

— Idade Média. Quem tem dentes pode usar até o fio dental mas acho jeca. Essa vontade sacana de se exibir, é uma coisa que não entendo, a servidão da mulher. Vem o tal ditador da moda, um besta qualquer e diz que o chapéu tem que ser em forma de garfo. Pronto, mesmo as mulheres mais inteligentes espetam o garfo na cabeça e ele não fica bem em todas. Só nesse ponto é que vejo a mulher inferior ao homem.

— Eu sou inferior.

— Você não é inferior nem superior, Rosona, você é louca.

As pequeninas ondas vinham estourar ali aos nossos pés e se desmanchavam em guirlandas que riam feito as criancinhas. Lavei nelas as mãos.

— Por que continua comigo, Diogo?

— Já disse, porque eu te amo.

Acendi um cigarro. Quando não há nada a fazer, tomar um copo d'água, alguém me ensinou. Mas a água ao lado era água do mar. Ele correu as pontas dos dedos pelo meu braço.

— O Gregório sabe?

— O quê?

— A nosso respeito, ora.

— Deve ter suas suspeitas mas não diz nada, ele não fala. Mas eu queria dizer outra coisa, querido. Estou me despedindo.

— De mim?

— De tudo. Fim da luta, estou depondo as armas, cansei. Agora queria dormir, me isolar. O teorema é que não tenho paz enquanto durmo, os sonhos.

— Teorema. É invenção de Gregório, eu sei mas esqueci...

— A palavra problema afunda, teorema flutua, hein?! E tem Deus na raiz.

Diogo virou-se de braços e enxugou na toalha a cara molhada de suor. Recolhi as pernas para a área de sombra. Meu inimigo, o sol.

— O único teorema é que você precisa trabalhar, que conversa é essa, depor as armas! De que peça tirou isso? — perguntou e com a ponta do dedo escreveu na areia, Teo— Rema. — Olha aí, Rosa Rosae, Deus rema por nós! E contra a correnteza, diga isso ao marido.

Beijei-lhe a mão salgada.

— Será que vou poder recomeçar? Hein?!...

— Vê se presta atenção, garota, quando você acerta num papel é uma atriz extraordinária, já disse isso mil vezes, esqueceu? Eu tinha acabado de voltar da Espanha quando fui ao teatro. E quem encontrei no palco vivendo uma Marta, não era Marta? estupenda, quem foi que aplaudi de pé, o teatro inteiro delirante, lembra? Esta loucona aqui do lado, essa Rosa Rosae que quer depor brasões, viseiras... Você estava tão convincente que pensei até que ia continuar assim na sua casa, essa tolice de se achar que o artista segue na vida real o inferninho doméstico, um arrancando a unha do outro com finos alicates.

Uma gaivota baixou em voo vertical e mergulhou no mar. Reapareceu trazendo no bico um peixe que fulgurou como um fiapo de luz. Gaivota e peixe fundiram-se bruscamente nas ardências.

— Acho que nunca discuti com Gregório. Posso urrar, me descabelar, rasgar as vestes como nas tragédias e ele vem, me levanta, passa mercurocromo nos arranhões, enxuga minhas lágrimas. Mas não se exalta. Conversa comigo tão baixo que acabo falando como ele, nós dois murmurantes. Quando eu fazia *Quem tem medo?*, justo nessa época o nosso relacionamento foi quase perfeito, eu tinha horror de imaginar que por minha culpa se repetisse lá fora o clima podre da peça.

Outra gaivota — ou a mesma? — voltou a mergulhar. Saiu sem o peixe. Procuro a mão de Diogo por entre a areia quente. Entrelaçamos os dedos com força. Meus olhos se inundaram de prazer e dor.

— Mas existe um outro amor que abrasa assim, hein?! Nego tanto este amor e negando estou me negando também e então fico detestável, não sei como você me suporta.

— É simples, Rosa, escuta, você está em pânico porque sente que está envelhecendo. Foge do trabalho, das pessoas, vai acabar fugindo de mim. Rosa Ambrósio, como entrar nessa cabeça que não existe outra saída, existe? Para escapar da velhice, querida, só morrendo jovem mas agora não dá mais. A solução é enfrentar sem fazer bico, de bom humor, se possível. Enfrentar o touro, vamos fazer uma viagem? Coisa rápida que a hora é de trabalho, Madri, Barcelona, você compra seus perfumes, eu vou às touradas.

— Tenho pena do touro.

— Amo a Espanha. Quero te mostrar a água-furtada onde morei no Bairro Gótico, eh! vidão! Aqui está triste demais, minha geração perdeu a esperança, o povo desesperado. E você com essa mania de velhice, quer ser internada? É isso?

— Não é a idade que me deprime, é o preconceito. A limitação de trabalho.

— Mas você é a primeira a se limitar! E se não limitou nosso amor é porque não deixo mas pelo seu gosto eu estava na estrada. E a Rosa Rosae ajoelhada no milho como aprendeu com as freirinhas, não estudou com as freiras? Ah, o que é isso?... Tem que sair do climão das antigas estrelas, não estamos em Hollywood. Então a coisa fica paupérrima.

— Deus sabe que eu quero voltar a trabalhar.

— Deus sabe que você só quer vagabundar e beber. Bebe por causa da deprê, aumenta a deprê porque aumenta a dependência, tem que beber mais e vira então aquele viajante perdido no mato e andando em círculos. *Passagem para a Índia*, você viu a fita e leu o livro. Se a imprudente mocinha adivinhasse toda aquela confusão que ia desencadear pelo simples fato de pedir esse maldito tíquete para a Índia... Tudo começou nesse pedido tão inocente, foi como se pedisse uma passagem para o Inferno. No seu caso está sabendo muito bem qual é o ponto final do bilhete, não sabe? Responda.

Visto a pequena bata que Cordélia deixou em casa. Tem o seu perfume. Cordélia e sua juventude. Fecho na mão um punhado de areia.

— Sou o contrário daquele rei Midas, enveneno tudo que toco. Você estava tão contente, Diogo, e olha aí, envenenei também a sua alegria, me perdoa.

— E não fale mais em perdão, por favor! Uma mulher como você, mas tem sentido?... E ainda por cima rica num país de miseráveis, sabe qual é a percentagem de miseráveis neste país? Uma privilegiada e se queixando, estou ficando velha! É ouvir conversa de puta que não se conforma, ih! estou feia, ih! ninguém me quer...

— Diogo, estou com medo, fico salivando de medo como um bicho que vai indo e sente a cobra adiante, esperando. Fiquei minha inimiga.

— Vai voltar a se amar que eu sei. Agora vem cá, me dá aqui um abraço assim! É duro, minha querida, até eu já ando meio assustado, umas pontadas, parece que depois dos trinta... Procurou mais castanhas no fundo da lata. Lambeu os dedos esbranquiçados de sal. O jeito é lutar, vale até o trabalho braçal, ouviu isto? Ontem um velhinho de oitenta e dois anos atravessou o Canal da Mancha, vupt! vupt! nadando. A múmia chegou inteira e ainda pediu um conhaque.

— Se você me ajudar, Diogo.

Ele levantou-se. Correu para o mar.

— Deus na frente, garota, as prioridades! Teo Rema, esqueceu?

O sol no meu rastro. Entro depressa na roda de sombra. Não, não esqueci Deus. Mas faço cerimônia com Ele como faço cerimônia com Gregório, só não faço cerimônia com você, tão frágeis nós dois, hein?!... Feitos da mesma matéria incerta, trancados lá dentro e dando aos outros a imagem de cidade aberta, entrem! se instalem! Nenhuma chave, dizemos. E o cadeado de ferro na porta da entrada.

Assim que ele voltou começou a se sacudir estabanado feito um cachorrão contente, espirrando água. A aragem arenosa chegou à minha boca. Com as mãos em garra puxou para trás os cabelos empastados na testa. Pensei em Miguel — mas por que Miguel? O gesto de Miguel.

— Me fechei, Diogo. Me fechei e perdi a chave.

— Meto o pé nessa porta feito aquele canastrão do cinema que não fazia uso da maçaneta, não é assim que machão entra no quarto da namorada que se trancou?

Rimos ao mesmo tempo, meu Deus! aquele céu. O mar, o estranho mar. Convulsionado aos nossos pés, espumejante de tão bravio. E no horizonte a linha de estabilidade absoluta. Mas era real esse equilíbrio? E de repente descobri por que me lembrei de Miguel quando vi Diogo com o mesmo jeito de menino encabulado, o cabelo escorrendo água. Vi o céu dançarinar nas lágrimas. Então senti sua mão penetrar devagar nos meus cabelos tentando desenredá-los. Quis saber das minhas memórias, mas como? Quer dizer que eu não tinha nem começado?

— Estamos esporrando quase no século vinte e um e o Livro do Século! — lamentou e chamou o vendedor de cocos verdes — Ei! aqui, garoto! — Tirou o dinheiro de dentro do livro. — As feministas na maior revolução e você com depressão...

— Você fica um escoteiro quando fala em depressão, querido.

— Escoteiro? — ele repetiu. Ficou sério enquanto escolhia os cocos. — Já fui uma fábrica da angústia, quase virei sucata, sabe o que é sucata? Até descobrir que é possível transformar depressão em ação, mesmo querendo se matar você sobe no palco e faz seu número de sapateado.

— A senhora está dormindo?

Abro os olhos. Dionísia com seu casaco de tricô, gorro e meias de lã, está saindo. Ou chegando, nunca se sabe.

— Estava pensando. Rezou por mim?

— Rezo sempre mas a senhora precisa também se ajudar — disse enérgica. Tirou o lenço do bolso e limpou o nariz, está resfriada. Precisei de dinheiro e passei na Cordélia, tudo isso agora é com o secretário dela que cuida dessas coisas. Parece um moço bom.

Moço? Ainda bem.

— Minha filhinha tão bonita. Tão inteligente. Parece que está aprendendo russo, deve ter algum russo velho aí no meio. Mas russo é pobre, Diú! Aquela desgraceira...

— E daí? A senhora se esquece que é dos pobres o Reino de Deus. Sua filha tem um lado muito bom, ela pratica a caridade. Me contou que ontem passou a noite inteira no hospital, um deles teve derrame.

Ô meu Pai! Os velhos tombando feito folhas, derrame, enfisema e mais a puta que pariu. A escolha é dela, disse Gregório. *Okey*, meu querido, longe de mim fazer qualquer objeção.

— Longe de mim — digo e me desvio da minha imagem refletida na porta espelhada. Perco o equilíbrio e me apoio no braço de Dionísia, não sei por que esqueleto de atriz é pior do que os outros, terrível, terrível com seu chapelão com plumas, o pescoço — pescoço? — com fios e fios de pérolas, entrando rindo na festa, onde vi isso?

— Toma este suco de mamão, a senhora emagreceu.

— Ih, Dionísia, impressionante, eu estava pensando em magreza...

Mamão ao natural. Como é mamão ao natural? perguntei ao garçom e ele me olhou como se olha uma diminuída. É mamão com casca, Madame. Sementes e casca. Invólucros. Panejamentos.

— Idade barroca. Diogo disse que eu podia me vestir feito Sarah Bernhardt. Uma atriz que nem eu, morreu faz tempo. Tudo faz tempo, enfim, não interessa.

Quando ela começou a tirar minha roupa entreguei-me com a humildade de um manequim de vitrine. Suas mãos são ásperas mas quentes.

— Cordélia mandou trancar o bar e a senhora achou a chave. Hoje ela quis saber da senhora, não respondi porque não posso mentir.

Vestidos largos, moles. Batas de brocado e musseline arrastando a barra frouxa, tantas pregas, hein?!... Echarpes. A espiral de gaze enrolada no pescoço e descendo bem comprida, bem comprida. Lembrando — só lembrando enforcamentos. Os cabelos tempestuosos arrepanhados em madeixas.

— Juro que vou voltar em grande estilo, Diú. Sem ele, sozinha.

— Sozinha, não, com Deus. Esta camisola é nova, Cordélia comprou mais duas de outras cores, não é bonita? É bem quente.

— É de velha — digo e me abraço. Não tem importância, ela me esquenta, preciso de calor, eu tinha uma piteira de âmbar leitoso, combinava tanto com meu batom vermelho-drama. Perdi, me lembro que o âmbar no meu lábio... Também perdi aquele papel, hein?! Revolução Francesa, fui convidada. A Roda do Tempo rodando ao contrário, mas que barulho é esse? Ah, perdão pelo barulho, pelo sangue mas acabou de rolar a cabeça de Madame Roland! *Que c'est triste Venise!* concordo mas queria saber apenas para onde vão os piolhos dos decapitados. Um enigma.

— Esfriou de novo, acho que o sol está se apagando, credo! A senhora sabe que o mundo vai virar uma geleira? Mas ainda demora um pouco.

Beijo-lhe a mão.

— Você é uma santa, Dionísia.

— Quem me dera! Vou fazer uma gemada, açúcar dá força.

— Com vinho, Diú?

Ela riu o riso raro. Meu pai batendo a gemada com vinho do Porto, Ele só tomava o vinho, lembrei. Quando Dionísia entrou na cozinha, fui descalça procurar depressa o copo que deixei em algum lugar, onde?... Pisei em Rahul que saiu gritando, achei! Achei. Voltei e fiquei parada no mesmo lugar. Assim que ouvi seus passos fiz rolar o copo para debaixo da cama. Guardei o último gole na boca. Ela batia a gemada numa caneca. Acariciei seu braço.

— Minha pele amoleceu mas a sua é tão rija. Murchei, hein?! Rosa Despetalada, sua criada, direi a Deus quando for me apresentar. Você acha que vou pro céu, Diú?

— A gente pensa tão diferente, a nossa igreja é diferente.

Fico sentada na cama, esperando. A Igreja da minha infância também era diferente, lembro e fico olhando minhas mãos. As novenas com a mamãe. Uma noite coroei a Virgem, o resplendor de ouro na almofada de veludo. O incenso denso, o mistério. Uma Igreja conhecida e desconhecida. Quis ficar banal, a pobrezinha, atrair depressa os jovens, conquistar operários. Diogo falava em camponeses com seu charme de esquerda fagueira. Conquistou? Conquistou nada e ainda perdeu os velhos. Até um cantor de rock pauleira o Frei Felipe botou lá na frente do altar, ele também de bota coturno, funcionou? Os camponeses com seus ouvidos de pedra, o peito de pedra. Até Guevara, hein?! falava, falava e os homens frios. Duros. Mais duros ainda do que os outros na lição da violência. E Diogo com seus discursos sobre o padre-herói, sobre a violência necessária, exaltar a face do Cristo revolucionário, do Cristo da indignação. Mas você é um boa-vida, querido, eu disse. Entre na minha banheira e esqueça, use os sais do arco-íris, azul-verde-vermelho, a banheira e a espuma.

— *Não guardarei senão as horas felizes*, estava escrito no relógio de sol. As coisas boas, as coisas lindas. Estou repetindo muito, Diú?

— Um pouco.

O cheiro do ovo e do açúcar. Tempo das gemadas. Tempo do Miguel, engulo a colherada de gemada e fico mocinha, quase menina. Ele morava na minha rua, era o meu primo rico e lindo, eu estava tão apaixonada. Tão apaixonada mas faz tempo, hein?! Passou. Vi num quadro o tronco de uma árvore se abrir pelo meio e da fenda sair a Deusa do Perdão estendendo os braços para abrigar Caim que fugia como se o chão fosse só serpente e brasa. Não esqueço, o perdão vinha da natureza, só ela aceitava o Caim negro e desgrenhado, mordendo as mãos e mordido, queria parar e não podia. Quero parar e não posso, fujo arrastando os sapatos de ferro, o coração de ferro... Horror, horror. Degenerescência cerebral, querida. Isso de se agarrar ao passado e começar como um rato, roque-roque, roendo as lembranças e se roendo. Tinha um velho que morreu agarrando o pinto, acho que ficou com medo da morte, o pobrezinho, tanto medo e na hora do medo agarrou o pinto. Foi enterrado assim. Mas faz tempo, era um velho antigo.

— Onde ele está agora, Diú?

— Quem?

— O Gregório.

— Era um homem justo. Só pode estar bem.

Lambo o açúcar da colher. Meu lado ruim, aquele escuro, sopra que ele morreu triste, torturado por fora e por dentro. E que ficou onde o deixaram. Até quando? perguntou o Diogo. Até quando este meu lado tinha que carregar esta cruz de punição, a Deusa do Perdão me perdoando e eu. É que esse escuro representa o que há de pior na civilização judaico-cristã, ele disse. Coisas duras, eu era um tipo até perigoso porque se não me cuidasse ainda acabava pedindo a censura, a tortura — enfim, uma burguesa repelente. E não me entendeu, ah! não entendeu. Esta nostalgia do caráter. Da beleza. Eram belos os gestos secretos. As palavras secretas, toda a simbologia que Deus exige, Ele exige! Mas os padres ficaram íntimos, os mitos íntimos. Massificar heróis e desmitificar os mitos. É o fim deles? pergunto e Dionísia já respondeu quando pulverizou minhas partes — ela diz partes — com o desodorante da moda.

— Hora de dormir, chega de agitação. Vai, deita.

Fico de pé em cima da cama tomada bruscamente por uma alegria delirante, rodopiou o teto e eu rodopiei com ele, Agora! grito e caio de joelhos nos travesseiros, Presta atenção, Dionísia, estou representando, *Ah! minha ama, pergunte seu nome. Se for casado, a tumba será meu leito nupcial!*

9

Pulo do fogão para a pia. Que está molhada, escolho um caminho mais seco por entre as poças d'água. Sacudo as patas traseiras que foram as mais atingidas e pulo para o chão. Meus olhos lacrimejam com os detergentes, não será a bomba atômica mas os detergentes que vão acabar com os homens. Bichos. Plantas. Morte suave e perfumada com as essências a escolher, jasmim, violeta ou flor de laranjeira que Dionísia vai tacando em tudo, pias, panelas, paredes. Minhas patas têm o perfume de um roseiral. Lambo o veneno perfumado.

Entro na sala. A menina antiga está sentada no sofá. Chega imprevistamente com seu vestido de tafetá, botinhas de pelica branca e o bordado dentro do bastidor. Tem gestos de uma menina que gosta de mostrar que é bem-educada. Arruma ajuizadamente a saia para que não amasse. Ajeita no regaço o bordado com a agulha espetada no pano e contorna com mãos limpas o bastidor. Só eu vejo a menina de pescoço comprido e botinhas de abotoar. Na tarde em que a Rosona chegou e se estirou no sofá, ela deslizou para a poltrona ao lado com a expressão complacente que têm as crianças diante das extravagâncias dos adultos. Seus grandes olhos azuis percorrem pessoas e coisas mas sem muita curiosidade. Observa a porta como se esperasse alguém mas não está ansiosa. Às vezes me observa com ar cerimonioso, não gosta de gatos. Desaparece. Que relação terá a menina antiga com as pessoas desta casa? Ou com a cantora do pente espanhol?

Os visitantes. A cantora era outra aparição sem explicação. Vestia-se de preto, os cabelos lustrosos presos na nuca, um pente espanhol espetado meio de lado. Vinha com seu xale de franjas de seda escorregando dos ombros nus, a pesada maquiagem de palco já um tanto desfeita. Impressionantes as olheiras esverdeadas afundando os olhos febris mas ainda assim era bonita. Ficava andando de um lado para outro, pisando com energia e sem fazer o menor ruído. Quando parava, levava a mão ao pescoço massageando-o preocupada. Tocava com as unhas envernizadas de vermelho a argola dourada da orelha, queria se certificar de que ela estava ali. Varava com arrogância a porta por onde entrara. Desaparecia. Ficava na sala seu perfume adocicado, enjoativo. Que Dionísia sentiu certa manhã quando farejou o ar, chegou a me interpelar, Mas quem esteve aqui? Dei de ombros, gato tem ombro? Sustentei seu olhar, minha única arma é o silêncio. Abriu as janelas com impaciência, também não gostou do perfume. Até que as visitas da cantora do xale — por que cismei que era cantora? — foram ficando mais raras. Mais desbotada a imagem que parecia se gastar em cada nova aparição. Veio tão etérea na última madrugada que pensei, não vai mais voltar. Quando saiu arrastando a franja evaporante do xale, nem o perfume ficou.

Resistiu mais o velho de chapéu-coco, o pincenê preso a um cordão preto, os aros redondos com lentes escuras de um cego. Debruçava-se na janela, inspecionava o céu, não era cego. Devia estar se perguntando se levava ou não o guarda-chuva. Abotoaduras de ouro nos punhos brancos. No colarinho alto e duro, nem sinal de gravata, esquecera a gravata? Botinas engraxadas. Quando me acostumava com a simpática presença do velhinho de chapéu-coco, exatamente como aconteceu com a moça do xale, também ele acabou por se gastar. Certa tarde encontrei-o tão reduzido que dele restara apenas uma sombra flutuante com um vago contorno humano. As extremidades esvaídas repetindo ainda os mesmos movimentos enquanto a boca sem som me cumprimentava cordial, Bom dia, gato! Espiou pela janela, será que ia chover? É sua última aparição, pensei. Não foi, voltou ainda uma vez. Eu dormia na minha almofada quando acordei certa manhã num sobressalto, um raio estourou por perto. Vi então o fino contorno aproximar-se da janela para examinar o céu de aço, sim, ia cair uma tempestade, deve ter concluído o resíduo da imagem. Que se dissolveu em meio do gesto que fez para segurar o chapéu, ventava.

Durante certo tempo nem a morte os liberta das miúdas preocupações da rotina. E depois? Se Gregório reapareceu assim luminoso, é porque era um ser luminoso. Seguindo, contudo, o mesmo destino dos outros. A exceção é a menina antiga.

Encontrei-o no escritório uma semana depois do suicídio. Estava sentado na sua cadeira, lendo sob a luz do abajur, era noite. Vestia o mesmo terno do enterro e que me pareceu mais escuro. A gravata esverdeada e a camisa social, me lembro de Dionísia procurando estonteada uma camisa social, tinha que ser social. Ele voltara e ali estava como sempre esteve, lendo tranquilamente. A novidade era a gravata. E o semblante esmaecido. Transparente. Fiquei paralisado, olhando. Quando consegui me mover, desatei a correr dando voltas, voltas, tomado de tamanha alegria que só parava para chamá-lo com miados que se estenderam pela casa, pela noite estrelada, Gregório!... Ele sorriu não sei se para mim ou para o livro. Subi na mesa, pulei perigosamente em cima do telescópio que chegou a vacilar, me equilibrei num equilíbrio ridículo até descer esfuziante para o chão na tentativa de fazê-lo rir, diverti-lo. Sabia da fugacidade dessas visitas, ah, se pudesse retê-lo por mais tempo. Ele estendeu a mão naquele seu gesto tão natural de me afagar sem interromper a leitura. Coloquei-me ao seu alcance tomado de repentino desespero: via agora sua face tênue e que me pareceu tão desgastada quanto a dos outros visitantes nas últimas visitas. Esfreguei a cabeça na sua mão feita de ar, onde ele estivera antes de me chegar assim tão enfraquecido? Pulei para o seu colo. A cadeira estava vazia.

A esperança de revê-lo nos dias que se seguiram quase me enlouqueceu. Não conseguia dormir, e se ele reaparecesse enquanto eu dormia? Se me tiravam do escritório, ficava na maior aflição, rondando a porta. Não comia. Não demorava muito no mesmo cômodo. Na mesma almofada.

— Rahul não desgruda do escritório mas gato é assim, quando cisma com um lugar, tem que ficar onde escolheu.

Poderia responder à Dionísia que não só os gatos voltam aos mesmos lugares mas também os fantasmas. Para escapar da sua vigilância, me escondia detrás dos móveis, debaixo da cama, enveredava por entre os vasos de plantas. Ela me descobria. E avaliava a minha magreza, estranhando meu jeito arredio, mas o que estava acontecendo comigo? Queixou-se ao Diogo que andava radiante, tinha comprado um carro novo. E um novo aparelho de som. Para se livrar de Dionísia, fez um diagnóstico rápido, queria se isolar com sua música.

— Rahul é igual à dona. Sofre de PMD.

— O que é isso?

Ele abriu os braços de mártir, Rosona tinha às vezes esse gesto. Puxou com força meu rabo e esclareceu como pôde que eu era um gato maníaco-depressivo, um tipo complicado. Chato. Ou estava alegríssimo ou tristíssimo, sempre nos extremos como Rosa Ambrósio, então a Dionísia não sabia? Gato e sapato acabam por tomar as feições do dono. O que acontecia principalmente com cachorro que pegava maior intimidade, a cachorrinha da Lili não era a cara dela?

E avisou, se eu piorasse me daria umas pílulas ótimas para gato em crise, seria capaz até de pagar uma consulta num especialista de gatos deprimidos e deprimentes.

Mudei meu comportamento assim que ouvi isso, mostrei-me satisfeito. Comendo com apetite as papas leitosas que Dionísia despejava na minha vasilha, cheguei até a brincar com o novelo do seu tricô, como fazia quando jovem. Ela animou-se.

— Ele sarou, graças a Deus!

Benzeu-se e voltou a se ocupar com a corcundinha da novela das seis.

Continuei a procurá-lo mas agora disfarçava a ansiedade. Minha irmã estrábica dizia que eu era uma criança sonsa. Para Rosona não passo de um gato dissimulado. Com tanta experiência, foi simples para mim afetar calma quando por dentro me eriçava inteiro, tremendo na expectativa.

Manhã pálida. Garoa e vento. Rosona procurava seu espelho e um anel com uma pedra de água-marinha e que naturalmente alguém já tinha levado. Diogo desceu amuado para o seu apartamento e Dionísia estava na copa, limpando as pratas. Ouvi a voz de Rosona, tinha telefonado a Lili lamentando a perda do anel. Em meio da lamentação a queixa, Diogo era mesmo um sádico e Cordélia, uma ninfômana, Queria que ela se tratasse mas o psicopata resiste!

Entrei no escritório em busca de calor. E dei com ele diante da estante que ainda não tinha sido desmanchada. Deslizava as pontas dos dedos pelos livros, cerrando um pouco os olhos míopes, estava sem óculos. Infiltrei-me por entre suas pernas, esfregando amorosamente a cabeça nos seus sapatos — sombra de sapatos manchando o tapete. Ele inclinou-se para a carícia que não senti. Vi então sua vaga roupa sem cor e a face reduzida a um risco de luz. Estendi-me no chão, miei desesperadamente. Quando me levantei ele já tinha desaparecido.

— Coitado do meu gato! É dor de ouvido? — perguntou Dionísia que veio ver por que eu miava assim. Começou a fazer uma massagem enérgica nas minhas orelhas. Entreguei-me às suas mãos com cheiro de polidor de metais. Levou-me para a cozinha. Quando passamos pela porta do quarto de Rosona, ouvimos sua voz pesada interpelando a filha pelo telefone, Mas como ele vai se casar com você se é um velho casado? Hein?!...

Viria em seguida a ligação para Diogo que devia acusá-la, estava bebendo demais e na bebedeira perdia tudo e culpava os outros. Está certo, querido, bebo e perco as coisas, perdão. Volte ao seu harém, adeus!

Fiquei pensando que entendimento podia haver entre pessoas e bichos se entre pessoas da mesma fala era só desencontro. As barreiras no éter. A Dionísia que me oferecia leite teve outra vida antes? E que vida foi essa para retornar com a pele negra. E ainda por cima, mulher. Tão devotada a Deus a escrava que pelo visto não é correspondida no seu amor, não sei o que significa neste mundo uma preta pobre. Feia. E um gato sem raça. Castrado e com memória.

Molhei o focinho no leite e quando a vi distraída, fugi antes que inventasse outra massagem *for cats*. Foi atrás de mim e me alcançou rindo, Seu levado! disse e me puxou pela orelha quando me enfiei no labirinto das plantas. Repetia-se a brincadeira daquela minha irmã.

Gregório — ou o que restou dele — ainda voltou algumas poucas vezes. Fazia as mesmas coisas de sempre, mexia nos papéis e nos poucos livros que restaram porque a maior parte a Rosona despachou para uma biblioteca. Chegou a escrever nas folhas que depois transformava em pequenas bolas duras que atirava em seguida no cesto, tudo o que escreveu destruiu assim, no nascedouro. Ainda corri para examinar o cesto de papel sabendo que estava vazio. Sabendo que o corpo sutil estava cada vez mais sutil. A amada imagem sem rosto chegava ao fim.

E eu me enredando no fio da esperança que se desenrolava macio como no novelo de lã da Dionísia, e se ele se fortalecer de repente e voltar inteiro como a menina do bastidor? Nas noites de lua, aumentava minha ansiedade, ele amava tanto aquele céu, quem sabe agora?... Os aparelhos ainda ali, cobertos com os plásticos pretos, esperando por ele. Não por muito tempo, foram vendidos por Diogo.

Acabou a pilha, ouvi Dionísia dizer mais de uma vez enquanto fazia girar em vão os botões do rádio. Vinha um ou outro som enfraquecido, a fala rateando, empastada. Depois o silêncio.

— Faz hoje três anos que ele morreu — anunciou Dionísia na manhã de sol, tirando os óculos da caixa para ler a mensagem do dia na folhinha do Sagrado Coração de Jesus. Concordou com a mensagem e comunicou quais eram os santos, São Veríssimo e Santa Teresinha do Menino Jesus. Com voz pausada, meditando sobre cada palavra, leu o pensamento da santa: *Quem ama Jesus encontra nesse coração único, que não se assemelha a nenhum outro, tudo o que deseja. Aí encontra o céu.*

Tirou os óculos, guardou-os e repetiu que ele tinha morrido há três anos. Só eu ouvi, Rosona estava preocupada com a banheira quase transbordante, nesse tempo tomava banho. E Diogo vigiava, esperando que ela entrasse logo na banheira para então telefonar à amante, o telefone dele estava com defeito.

Três anos, já?... Não voltaria mais, disso eu estava certo. Ainda assim, a esperança. Misturada a um certo constrangimento, se voltasse ia estranhar o escritório que não era mais seu escritório, ela mudou tudo. Com seus ares doloridos fez descer tudo das estantes e avisou à biblioteca do bairro da importante doação que estava fazendo, tinham apenas que vir buscá-los. Como ele amava esses livros! gemeu enquanto amontoava os volumes nos grandes sacos de lixo. Mandou desmontar as estantes, tão escuras, não? A mesa e a cadeira foram para o depósito do edifício onde tinha o direito de ocupar um bom espaço como proprietária de quatro apartamentos do bloco. Provisoriamente, acrescentou enquanto o porteiro fazia descer os móveis. Cartas, pastas com o timbre da universidade, recortes de jornais — enfim, a papelada, como resumiu com desgosto, ela acabou mandando queimar. As roupas que a fizeram se comover até às lágrimas, essas ela enfiou nas próprias malas de Gregório e ofereceu-as ao motorista que tinha a mesma altura dele.

Sobraram os objetos pessoais como abotoaduras, óculos, relógios. Diante das miudezas, Rosona vacilou, Quanta coisa, hein?!... Sem falar nos binóculos, placas de prata e canetas, lembranças dos alunos, Ô! meu Pai, queixou-se. E começou a distribuição das espátulas, tesourinhas. As abotoaduras de ouro, Diogo recusou, Não uso coisa de morto. Rosona ficou sentida, chegou a verter algumas poucas lágrimas enquanto chamava Dionísia, que ela levasse para sua igreja os objetos que quisesse e os mais íntimos, guardaria nas gavetas já abarrotadas da Sala dos Badulaques e que Diogo chamava de Sala de Armas, pois ali não estavam acumuladas as provas dessa longa luta de Gregório? Prêmios, troféus, arquivos de críticas. Retratos e cartazes, Meus instrumentos, minhas armas...

Empapelado de verde-folha o antigo escritório virou uma sala frívola com jeito de cenário de uma peça elegante: o estúdio. Restou o aparelho de som. Grande demais, hein?!... Mas logo ela resolveu o teorema, Diogo compraria dois aparelhos modernos, entendia tanto de som. Um iria para ele e o outro ficaria no estúdio, ao lado do móvel de laca vermelha que transformou em bar. Telefonou à Ananta, será que as meninas da Delegacia de Defesa da Mulher não gostariam de ganhar um deslumbrante toca-discos?

Sentei-me em cima da caixa e ali fiquei até que os homens vieram buscá-lo. Ela adoçou a voz melíflua, Rahul querido, quer sair daí? Continuei imóvel, duro de ódio. Diogo veio por detrás e me agarrou, Não insista, gato! Fugi do seu colo e fui para a cozinha. Ouvi ainda Rosona se justificar, É um móvel grande demais e tão escuro, não gosto de nada escuro.

Não gosto de nada que lembre a presença dele, poderia ter dito. A esse estúdio voltei uma noite com o forte pressentimento de que iria encontrá-lo. Encontrei Diogo bebendo e ouvindo seu jazz. Na mesa onde Rosona devia escrever suas memórias, o vistoso copo repleto de canetas, ela gostava de colecionar canetas. Na parede, um pôster de Sarah Bernhardt com olheiras roxas e roupagens de drama.

— Com crise outra vez, gato? — ele perguntou assim que me viu. Foi buscar gelo. Na volta espargiu no meu focinho um pouco da água gelada do balde. Estava de chambre e meias, esperando pelos belos sapatos florentinos que mandou Dionísia engraxar.

Sentei-me na poltrona de tecido florido. Nada mais restara ali da presença de Gregório, muita sabedoria da sua parte transformar os escritos nas bolas de papel, conhecia bem seus herdeiros. Menos matéria para o fogo. Ocupava neste apartamento um espaço modesto. Falava pouco. Comia pouco. Ainda assim, deixou tanta coisa, as malas e pacotes que vi saindo por aquela porta! A única vantagem do bicho sobre o homem é a inconsciência da morte e da morte eu estou consciente. Resta-me o consolo da morte sem bagagem, deixo uma coleira antipulga. Duas vasilhas e uma almofada.

Volto à sala. Diogo vai acendendo todas as luzes por onde vai passando, ao contrário de Rosona que vai apagando tudo. Subi ao parapeito da janela e fiquei olhando o jardim. A morte seria fácil, bastava cruzar o vão da vidraça e despencar lá embaixo na direção da alameda de pedregulhos. Tecida e destecida no seu movimento incessante, a vida já me aproximara de Gregório. E se eu tivesse que morrer para nessa segunda oportunidade me aproximar dele novamente? Se é que a gente pudesse se reencontrar — eu disse *a gente*? Eu disse a gente. Porque a ideia de ser de novo um bicho é tão dilacerante que continuo a me perguntar, no mesmo tom culposo da Rosona, o que eu fiz, o quê?! para merecer esta forma. E não tenho fé, não acredito em nada. Um gato memorialista e agnóstico — existe? Memória que quase sempre é peçonha na qual me alimento. E me enveneno. Recuei. Saltei para o tapete. Agora tenho medo da liberdade.

Agora eu tenho medo, descobri e essa descoberta estranhamente me deixou fortalecido. Bem-humorado. Lá do estúdio Diogo reclamava os sapatos, mas ainda não estavam engraxados? Os sapatos, minha flor! pediu levantando a voz. Dionísia ficou parada no meio da copa, parecia hesitante. Tinha engraxado esses sapatos mas onde, onde os deixara? Eu sabia. Cheguei antes e mijei em cima deles.

A menina antiga está me vendo mas não faz o menor movimento, está apenas olhando. O raio de sol avança no tapete e chega às suas botinhas brancas. No sofá a almofada continua lisa como se tivesse recebido uma pétala. Baixa o olhar inexpressivo para o pequeno bastidor com o bordado, por quem ela espera? Um fantasminha nem feliz nem infeliz. Calmo. O velho do chapéu-coco, a mulher do xale, Gregório com seu cachimbo — demonstraram todos nas suas aparições que a alma ou corpo sutil, tenha isto o nome que tiver, vai se desfazendo antes ainda de se desfazer o corpo material. Destinados ambos à destruição mas em tempos diferentes.

A morte dessa menina deve ter ocorrido no começo do século. E ela reaparece como se tivesse morrido ontem. O amado Gregório resistiu tão pouco mas a menina tola com o seu bordado... Se eu soubesse o que impede a morte total, a morte que vi tanto nos outros e em mim mesmo, se eu soubesse! Mas não será desta vez que vou ter a resposta.

Ouço Dionísia tossir lá no seu quarto, já acordou. Amanheceu. Ligou o rádio com o noticiário berrante que deve estar ouvindo com sua cara de anjo vingador. O sol avançou mais. A menina já desapareceu.

Quando entro no sol para me aquecer tenho a visão esmaecida de um sol de outro tempo avançando sobre uma singela mesa posta, é manhã. Há pão molhado no vinho. Azeitonas. Alguém morreu, alguém que eu amo porque a voz que me conforta está emocionada, voz de homem pedindo que não me deixe acabrunhar assim na adversidade, que devo olhar em frente com firmeza. Confiança. Desejando — mais do que desejando, exigindo — que me seja devolvido o brilho da minha estrela.

Baixo a cabeça. Baixo o rabo e vou até o quarto de Rosa Ambrósio. Ela dorme seu sono insensato. Subo na poltrona onde está a bata tunisiana que usou na noite anterior. É de lã vermelha e me pareceu quente como se ela acabasse de despi-la. Chego mais perto de minha dona, continua bela apesar dos estragos, seduziu o tempo. Como seduziu as pessoas.

Rosa Rosae, dizia o Diogo. Gregório dizia Rosa. Em voz baixa e com aquela paciência que me comovia, sabia levá-la nas crises de cólera. Nas crises místicas que não duravam muito mas que eram intensas, vestia-se de branco. A cara lavada, nenhuma joia, os bandós dos cabelos cingindo-lhe a face de tranquila austeridade. Jejuava, rezava. Falava pouco, a voz impostada. Com o mesmo fervor histérico com que recorria aos padres ela ia às cartomantes e bruxos para as previsões com lançamento de búzios. Velas acesas. Incenso. Ele a apoiava mantendo uma certa distância mas Diogo se intrometia, excitado, ambos sem esconder um sentimento de alívio: enquanto ela se prostrava eles podiam tirar férias.

Mea culpa. Com seu método de ação direta e rápida, só Diogo conseguia neutralizar essa má consciência. E mesmo se rebelando e resistindo ela acabava por obedecer feito uma menininha, Não estou deslumbrante? perguntou ao se aprontar para a última noite do ano, iam a uma festa. Diogo examinou-a com o olhar gelado: O que significa isso, Rosona? Está parecendo uma piranha com essa purpurina azul nos olhos, tira a purpurina! E menos joias, pode tirar o broche e esta pulseira.

Tirou a purpurina, o broche, a pulseira e tirou mais, tirou a roupa. Quando se juntaram nus ali no tapete, tirei as unhas e fui pisoteando seu vestido branco, um belo vestido que me fartei de pisotear com o mesmo vigor com que ele a pisoteava. Saí do quarto arrastando ainda nas patas alguns fios do tecido.

— A menor importância, querido — ela sussurrou. Riu tapando a boca.

Desço da poltrona. Meu Deus, como o homem vive mal, cheira mal — eu disse *meu Deus*? A isso Diogo chamaria de impregnação, em inglês fica mais forte e esqueci como é em inglês. Apresso o passo sentindo o bolo de pelos na minha garganta, fiquei sentimental de repente, com pena das mulheres, dos homens, desta vez vou vomitar no lugar permitido — onde?

10

Foi me pegar debaixo da cama e me apertou, me beijou, Vem meu queridinho, disse com voz de flor. Fez assim mesmo quando me enfiou dentro de uma das sacolas que ganhou de brinde nas perfumarias parisienses, tem várias delas com o nome da casa gravado com letras douradas no plástico de seda brilhante, Vem, meu queridinho, ela repetiu. Meteu-me dentro da sacola perfumada, fechou o zíper e me levou ao veterinário onde fui castrado.

A diferença é que dessa vez não precisou da sacola, fui no seu colo ao andar aqui em cima. Você também está precisando de um divã, me avisou enquanto subia o lance da escada com o cigarro dependurado na boca. Desviei o focinho, sufocado. Pensei em Gregório tomando todo o cuidado para que eu não respirasse a fumaça do seu cachimbo. E aquela fumaça eu amava. Quando morreu, muitas vezes entrei no seu escritório para reencontrar entre os livros e objetos um resquício ao menos do cheiro de fumo.

— Ah, veio com o gato — disse Ananta sem o menor entusiasmo.

Mas essa analista já se entusiasmou com alguma coisa? O avental branco parecia ter sido passado naquele instante, nenhuma dobra. O discreto perfume de lavanda. Estava de óculos. Fez um ligeiro agrado na minha cabeça e voltou-se para Rosona com uma cordialidade um tanto fria. Pela primeira vez pude ver de frente os olhos dessa pequena Ananta através das lentes de vidro branco. Tem belos olhos, descobri com certa surpresa. Destacavam-se tão luminosos na face de uma moça que a gente olha e esquece, eu disse *a gente*. No olhar azul-cinzento, a paciência. E um certo distanciamento, que me perturbou, Gregório tinha esse jeito de olhar.

— E nada de fincar a unha aí no tapete, hein?!... — recomendou Rosona ao me soltar no chão. — Hum, sapatos novos, querida? Adoro essa cor de caramelo.

Os sapatos novos de Ananta tinham o mesmo feitio dos outros mas eram de couro cru. Senti com prazer o cheiro cálido de couro. Depois Rosona diria a Gregório o quanto eram medonhos os sapatos da sufragete, isso se ele ainda vivesse para ouvi-la. Ou a Diogo se Diogo ainda estivesse ao alcance para os comentários. Mas no apartamento da atriz Rosa Ambrósio, restaram apenas Dionísia e um gato, os sapatos estavam salvos.

— São confortáveis para quem anda como eu.

— E o seu carro?

— Emprestei a uma amiga. Gosto muito de andar.

— Quando eu era criança papai me contou a história de uma rainha que mandou fazer sapatos de ferro para atravessar sete vales e sete montanhas, ia em busca de alguma coisa ou de alguém, não lembro se era o rei que ela procurava. Nas histórias antigas usava botar uma rainha procurando o bem-amado?

— Pode ser. Encontrou?

— Não lembro, só lembro dessa rainha com seus sapatos de ferro. Eu podia fazer uns sapatos iguais mas se não tenho forças de chegar até a esquina, hein?! Ananta, uma notícia deslumbrante, ele telefonou. O Diogo!

— Falou com você?

— Não, só com Dionísia, pediu notícias e desligou. Está se aproximando, não está? Não está? Sinto que ele está mais perto.

Ananta cerrou as cortinas. Tirou os óculos e veio vindo com seu andar manso.

— Prefere ficar sentada?

— Sonhei com ele, eu estava numa vitrine. As pessoas paravam para me olhar mas tão espantadas, ficou um amontoado de gente, quis então me levantar e vi que estava pregada no chão e nua. Completamente nua. Daí ele entrou, atirou em cima de mim a capa de toureiro e começou a falar, furioso com os curiosos que não entendiam nada por causa do vidro, eu também não entendia, só ouvi isto — as impurezas da idade. As impurezas da idade — repetiu Rosona com voz encolhida, como se ainda estivesse na vitrine. Calou-se. Ficou pensativa. — Parece que tem um novo inquilino na cobertura. Você conhece?

— Não. Nem sabia desse inquilino.

— Dionísia disse que a mudança dele ainda não chegou. Mas no sétimo andar não tinha goteiras?

— Ouvi dizer, não sei.

— Cordélia já avisou que você quer me transferir para outro analista. Se for mulher, nem pensar! Você é diferente, Ananta, mas mulher não gosta mesmo de mulher, essa história de solidariedade, hein?! Tudo mentira. E acho que nem vou querer mais nenhum apoio, o Diogo vai voltar. Cresci, minha querida. Ainda armo um cálculo de futuro com ele.

— Você cortou a mão.

— Gregório gostava de você e por uma dessas aberrações também gostava do Diogo, imagina, do Diogo.

Estendeu-se no divã e levantou as mãos. Ficou olhando as mãos que nessa posição ficavam limpas de veias. Fui para perto dos potes de orquídeas, com vontade do cheiro da terra. Afundei o focinho nas raízes meio expostas do primeiro pote, ah, se pudesse avivar meu instinto amortecido, eu inteiro amortecido. Se Mickey Mouse escapasse do televisor e me puxasse pelo rabo, Heil, Rahul! acho que nem me importaria. Enrodilhei-me no carpete. Recolhi as patas. Pela fresta da cortina aparecia a frouxa luz do sol de fim de tarde, cinco horas? Um dia Gregório me olhou dentro dos olhos e disse que os poetas podiam ver as horas nos olhos dos gatos. Eu teria agora que me valer de um espelho mas no apartamento da analista não há espelhos. Rosona acendeu o cigarro.

— Você parece uma pessoinha de porcelana, Ananta. Não sei como aguenta essa briga do mulherio, delegacias, jornal, creches e Deus sabe mais o quê. Sem falar nos doidos passando aqui pelo divã, eu no meio deles.

— Não são doidos, são pessoas com problemas.

— Teoremas, querida, teoremas! E adianta? Tanta dedicação, hein?! Não adianta nada, o homem não tem jeito e já faz tempo, toda nossa história é um horror. Pensando bem, apesar da fenda entre as pernas a mulher ainda é melhor. Pelo menos era. Pirou nessa puta luta pelo poder, ela quer o poder. Então ficou insuportável como os mais insuportáveis machões, já prestou atenção numa mulher dirigindo? Nunca aprendi a dirigir mas sei que se comportam mal, ficam arrogantes, é ver chofer de caminhão no fim da viagem. Gostam de guiar no meio da rua, nem na esquerda nem na direita mas no meio dos outros carros, virem-se! E buzinam mais, xingam mais... Despedi meu motorista, não saio nunca.

— Você avisou que ia começar a fazer caminhadas.

— Meu carro está aí parado faz duzentos anos, pode ficar com ele se quiser, detesto máquina. Mas tenho preguiça de andar. Queria bordar, aquelas antigas mulheres que bordavam pareciam tão calmas fazendo almofadas, tapetes. Ou era tudo fingimento? As mulheres não seriam mais felizes se bordassem?

— As que gostam de bordar seriam felizes bordando.

— Eu gostava de mim, Ananta. Agora me detesto, ô, meu Pai, é horrível! Conviver comigo mesma, horrível... Está me ouvindo?

— Continue.

— As mulheres e eu no meio delas. Fico com raiva e ao mesmo tempo, porra. Entram adoidadas nesse beco e depois descobrem, é um beco sem saída. Não tem saída. Acho que eu procurava o caminho de Deus e fiquei no beco de Deus, existe isso? As velhas tristes, as jovens tristes, tanta menina viciada em drogas e dando o rabo a quem pedir mas sempre tristes, uma tristeza. Enfarto aos montes, são frágeis as pobrezinhas. Tantos suicídios, estão enlouquecendo ou se matando...

— E se realizando. A revolução é recente, Rosa. Pense num tubo de ensaio que foi sacudido, a água fica turva mas quando o depósito se assentar essa água vai ficar límpida. Ainda que o fundo seja de sangue.

— Um dia posei nua, eu era mocinha. O Miguel tinha morrido há pouco tempo, aquele meu namorado.

— Não teve medo?

— Pensei que não mas quando tirei o sutiã e a calcinha comecei a tremer tanto que o tal pintor veio e segurou minha mão, Sossega, Rosinha, não vai acontecer nada, eu só gosto de meninos. Me trouxe um ursinho de pelúcia tão engraçadinho, ficamos tão amigos. O Miguel tinha morrido e eu achei que ia morrer também e por isso podia fazer tudo e não tinha importância. Era um polonês charmoso, muito mais velho mas naquele tempo eu achava todo mundo velho, ele devia ter quarenta anos, nem isso... Me viu na rua e disse que eu era a menina mais bonita do mundo. Nunca mais soube desse pintor. Pode me dar água, querida?... Tanta sede!

— Continue.

Rosona bebeu um pequeno gole e deixou o copo d'água no chão, ao lado do cinzeiro.

— Escondi esse retrato do Gregório mas o Diogo achou e zombou de mim, Olha a Rosa Ambrósio mocinha e pelada! Fiquei contente porque me reconheceu, quer dizer que não mudei tanto assim, hein?! Nunca pude esconder nada que ele vinha e descobria. Ah, não interessa, não sei por que estou falando nisso...

— Fale se quiser, Rosa.

— Cordélia é parecida comigo, ainda te mostro esse retrato, é ver a Cordélia nua. Engravidei tão feliz, sonhando com um menino que ia se chamar Miguel. Comecei a chorar tanto quando me disseram que era menina, você sabe, homem sofre menos. Apanha menos. Na rua, na cama, em qualquer lugar é ele o agressor. Sem falar no parto, sabe lá o que é um parto? O mundo saindo por entre suas pernas, a fenda é pequena, quantos centímetros?

— Depende.

— Me senti rasgada pelo meio. Você é virgem, querida, você não é virgem? O que pode uma virgem saber do sexo, da velhice. Da morte. O que sabe você de toda essa sujeira? Hein?! Ô meu Pai, que sede...

— O copo está aí do seu lado.

— Ah! claro, *merci!*... Tanta coisa me passa pela cabeça, essa história do aborto, por exemplo, vocês não podem ser a favor do aborto!

— ...

— Seria o fim do mulherio na face da Terra. Inventaram aí uma técnica maravilhosa para descobrir o sexo dos anjos logo no início da gravidez, tudo bem, mas fizeram uma pesquisa entre a moçada, é impressionante a porcentagem das futuras mamãs que só quer filho homem, raríssimas sonham com a fêmea, a velha história, você está cansada de saber disso. De posse do mistério, a mulher vai poder decidir se a gravidez continua ou não, é do sexo feminino? pois sim, Antônia! E o pai machista se lavando em rosas, quer dizer, daqui por diante só vão nascer garotões. Legaliza o aborto, legaliza e vocês vão ver onde é que a gente vai parar. Enfim, não interessa, eu ia dizer outra coisa...

Ananta foi até a mesa e serviu-se tão silenciosamente que a água não fez nem glu-glu ao cair no copo. Rosona sentou-

-se no divã, flexionou as pernas e enlaçou-as. Apoiou a testa nos joelhos. Fui me acomodando para dormir.

— Continue, Rosa.

— Não sei mais, esqueci.

— Você dizia que as mulheres podem desaparecer da Terra se o aborto for legalizado.

— Eu disse?

Deixou-se tombar de costas no divã. Examinou o pulso esquerdo com o fundo talho quase cicatrizado, cortou-se quebrando um copo. E de repente me acusou, Olha aí o que o Rahul me fez! Me amava mas eu era dissimulado. Vingativo. Impregnado de todos os vícios humanos como acontece sempre com os bichos domesticados, Quem disse isso, Ananta? Que um cachorro com um dono mau-caráter acaba igual ao dono, hein?!... Por acaso não era propositadamente que eu ia vomitar no tapete a maçaroca de pelos que engolia nas minhas toaletes? Isso sem falar nas mijadinhas em lugar errado quando a Dionísia limpava meu wc duas vezes por dia. Soprou a fumaça na minha direção. Atormentando a pobrezinha da negra que já não andava muito brilhante. Excelente pessoa, sem dúvida, mas ultimamente...

Ananta e eu ficamos esperando. Rosona acendeu um cigarro enquanto o outro queimava na borda do cinzeiro. Mas a pobre da Diú era sádica como todo fanático primário, essa mania de culto! Ensaiava mais coisas do que ela, Rosa Ambrósio, quando em plena atividade. Mas o que tanto eles ficam ensaiando naquele templo?

Na hierarquia dos valores ambrosianos entrei em primeiro lugar na condição de um bicho no degrau ínfimo. Agora chegara a vez da escrava. Na realidade, a escrava fazia-se de tonta e na tontice rabugenta entrava uma pitada de esclerose, ela voava às vezes. Mas se até a Lili parecia levantar voo, hein?! A pobrezinha da Lili com sua cara de boneca que envelheceu e não sabe, tamanha resistência, meu Pai! Estava virando uma macaquinha enfeitada, um verdadeiro sofrimento essa luta. Luta e castigo. Isso das mulheres bonitas e dos homossexuais sofrerem dobrado quando começa a decadência. Seres destinados à destruição como todos nós mas com a obsessão da beleza. O culto do corpo. Sentia-se um monstro dizendo isso mas na realidade tinha um pouco de nojo daquele cachorrinho de focinho achatado e pulôver vermelho, podia bem adivinhar o que a Lili andava fazendo com ele, Ah! posso adivinhar!

— *Décadence!...* Saí do palco na hora certa, antes da chifrada. Também quis segurar a beleza, é claro, quem não?... Mas ela escapou por entre meus dedos, água... Ainda bem que Deus me deu a paz sexual.

11

Olhei para Rosona que por sua vez olhava a própria mão direita com certa curiosidade. Fechou-a com força. Voltou-se para Ananta que esperava tranquila em sua cadeira.

— Nunca me masturbei, querida, nunca. Não é puritanismo não, sei que sou puritana, porra, mas acho o gesto de uma carência tão negra, hein?!... O gesto humilhante é feio. Como não tem o parceiro do lado vira uma necessidade fisiológica tão solitária como fazer pipi, ah, eu me mataria antes.

Limpou de leve a cinza do cigarro que lhe caíra no peito. Tomou mais água. E perguntou se por acaso Ananta já tinha se masturbado. Não veio a resposta. Quis então saber se ela já tinha visto uma tourada, não? Um horror o sofrimento do touro perseguido por aqueles covardes de perna fina. Na Espanha, Diogo insistiu, fui duas vezes com ele e detestei, cheguei a vomitar quando voltei ao hotel.

— Estranha aquela viagem, lembra, Ananta? Não, claro que não lembra, inventei viajar de repente, tamanha correria, uma aflição... Gregório já tinha partido, aquela outra viagem, um horror e me deu uma vontade de sair ventando, ô! meu Pai. Tenho a pressão baixa, estou com tanto frio, queria beber um pouco — disse e puxou a manta de lã até o queixo. — Avise se eu começar a repetir.

— ...

— Tanto sono. Mas não quero dormir, quero falar, fugimos de um momento terrível, foi fuga, o Gregório, pobrezinho. E Cordélia a todo vapor com seus velhos, uma Lolita sul-americana. Bonita, educada, jogava tênis, achei que ia ser uma campeã, taças... Estou repetindo?

— Não se impressione com isso.

— Você deve estar farta de mim e fica aí me ouvindo, ouvindo os outros, pagamos e você então tem que ouvir, compensa? Acho essa sua profissão uma bosta, você vai acabar sem vida própria nessa concha, eu também na minha, taque-taque, taque-taque, hein?! Se satura com os chatos, minha tia Meg dizia chato de galocha, o tempo era de galochas, ninguém mais sabe hoje nem o que é isso, passou. Acho que meu pai tinha galochas pretas, essas ele não levou. Se Cordélia prefere continuar atirando pérolas aos porcos porque quis um dia se deitar com o pai, o que você pode fazer, me responda! Falta de imaginação, metade das meninas do planeta querendo a mesma coisa, tesão-chavão. Haja saco! Um complexo tão antigo e ficou de novo na moda. Outra vez?

Aperto as patas contra o peito, o apartamento da analista é mais frio do que o nosso. E devia ser quente com tantas confissões fluindo do divã onde Rosona agora boceja. Repetindo que não quer dormir mas falar — o quê?... Esqueceu. Não ia negar que quis tanto uma família e fracassou assim que arrumou uma. Mulher incompetente e profissional negligente, de que vale a vocação sem disciplina? Negligente! ficou repetindo como se alguém a contestasse.

Voltou a cara para a parede, as mãos tateantes procurando o isqueiro. Ananta veio ajudar, estava numa das dobras da coberta. A espiral das ideias se desdobrava como a fumaça do seu cigarro.

— Tão inteligente, tão sensível. O Gregório...

E difícil, um homem-nó. E só. Por acaso Ananta sabia o que era conviver com um homem atado por dentro num nó cego? Cassado e torturado pela ditadura, Ah, voltou mas irreconhecível. Gaguejava de repente, ele que falava tão bem nas suas aulas, conferências. Trôpego, eu ouvia às vezes seus passos e tinha vontade de chorar, mas o que aconteceu, meu Pai! Conta pelo amor de Deus, o que fizeram com você?... Então ele disfarçava, eu disfarçava, nós disfarçávamos, esse verbo, passado-não-sei-mais. O comportamento de Cordélia contribuindo para piorar a doença, é claro. E o meu comportamento com Diogo, merda!...

— A prisão foi na década de setenta, você disse. Lembra o ano?

— Não, tenho ódio de datas. Cheguei tarde da noite, ele já estava no escritório lendo e ouvindo sua música como se nada tivesse acontecido. Levei um susto, ainda na véspera tinha falado com um amigo militar que não me deu a menor esperança e agora ele ali, tão magro, pálido, Gregório, por que não me avisou? Ele sorriu, Eu também não sabia que ia sair. O tremor numa das pálpebras, era como se um fio nervoso puxasse a pele até quase o canto da boca. Comecei a chorar, por que não me avisou? Chegar assim sozinho, ninguém para recebê-lo! Ele me fez sentar, pegou minha mão e disse que foi recepcionado por um gato. E apontou para Rahul em cima da mesa. Corri para chamar Cordélia mas imagina se ela estava em casa... Mas espera, acho que nesse tempo ainda morava com a gente, hein?! Memória podre, ainda morava sim. Esse furor geriátrico não nasceu da rejeição? Um pai assim astral, pobrezinha. Ele falava tanto na solidão cósmica. Pois foi onde se instalou apesar das amantes, ah, sem dúvida, teve suas amantes, a diferença é que sabia fazer bem as coisas.

— Você disse que ele se exilou em seguida. Um exílio voluntário.

— Voluntário em termos, querida. Acho que foi avisado,

iam pegá-lo de novo e então aceitou ventando dar um curso na França, lecionar nos arredores de Paris, eu sabia o nome da cidade. Enfim, não interessa, ficou por lá cinco ou seis meses, não lembro. Escreveu algumas cartas naquele estilo gregoriano... Liguei-me tanto ao Diogo, uma borboleta mas fiel nas suas infidelidades, à sua moda ele me amou. Me apoiou, aquele apoio que Gregório negou, ah! que homem desapegado. Procuro e acabo sempre nessa palavra, desapegado. Miguel era assim mas por outros motivos, estava comigo e não estava, parecia um barco na névoa, você já viu um barco ir se afastando na névoa? Hein?!... Só névoa em redor dele, eu queria gritar, Miguel, volta!, mas era uma tonta, como podia desconfiar? E depois, a cocaína não estava na moda, pelo menos não como agora. Ou estava?... Sei lá. O amor da minha adolescência. Não fomos amantes porque o tempo era das virgens, tudo virgem. Conheci tanto homem depois e só restaram esses três, Miguel, Gregório e Diogo. Pela ordem de entrada em cena, olha aí, estou chorando de novo e odeio chorar.

Passou o dorso da mão no nariz, nos olhos. Ananta levantou-se e veio com a caixa de lenços de papel. Rosona tirou o lenço. Limpou o batom. Deixou o lenço no cinzeiro onde queimava o cigarro transformado quase num rolinho de cinza.

Retirei as patas dianteiras, e cravei em silêncio as unhas no carpete. Ô! meu Pai, digo eu agora. Rosona sentada no divã, Ananta sentada na sua cadeira, a caixa de lenços no colo, a cabeça inclinada para o peito, assim que a outra se calou passou a ouvir a voz do próprio umbigo. Recolheu o copo do chão, recolheu o cinzeiro. A sessão chegava ao fim.

Quando entramos em casa, Rosona me deixou no chão e perguntou delicadamente se eu não queria um pouco de leite morno, perguntou e esqueceu. Arrancou os sapatos e deu voltas pela sala esfregando as solas dos pés no tapete.

Chamou por Dionísia que não respondeu. Enveredou cantarolando pelo corredor e voltou com o copo de uísque. E um livro. Deitou-se no sofá e ajeitou nas costas a pilha de almofadas, Vem, Rahul! ela chamou. Dei-lhe as costas e entrei debaixo da mesa. Fiquei esfregando o focinho no tecido esponjoso da minha almofada que imita a pele tostada de um tigre, vi um na jaula, onde? Em redor, as pessoas macaqueavam para chamar sua atenção e ele olhando impassível, olhando o quê? Aproximei-me e por um brevíssimo instante nossos olhares se encontraram. Recuei estarrecido. Nunca mais encontraria em gente ou bicho um olhar igual.

A campainha do telefone. Esse telefone que Rosona leva por toda parte tem um fio tão longo que daria para chegar até a rua.

— Diú!... Se for mulher eu não estou, hein?

Não gosta de mulheres. Nem eu. E as mulheres sempre em redor. As mulheres da casa das venezianas verdes. As invisíveis mulheres da minha casa romana, mesmo sem vê-las sentia a presença delas nos alojamentos, discretas. Respeitadas. A rápida visão da jovem que estava na minha alcova, os olhos verdes, o colar. As mulheres atuais, Rosona, Cordélia, Dionísia. Às vezes, Ananta. Lili. Os homens e os fantasmas sempre se despedindo, só a menina antiga resiste.

— Rahul! Onde está você, Rahul!...

Fico na minha almofada. Depois que me esculhambou, desceu os lances da escada me apertando nos braços, Meu gato mais lindo, eu te amo!

É falsa e é verdadeira. Café com leite, impossível separar o leite. As mulheres que me confundem e me escapam, mais perigosas do que os homens na conspiração, conspiram como as nuvens, segundo Rosa Ambrósio. Mais vulneráveis no vício. No amor. Acredita Ananta Medrado que elas serão as únicas capazes de salvar esta vida sem qualidade. Este mundo.

Dionísia entrou com a bandeja.

— O chá saiu tarde porque o pãozinho demorou. Prova, está quente.

— Acho que não vou mais voltar lá. Na Ananta, prefiro ficar falando com você, ela não gosta de mim e você é minha amiga. Você não é minha amiga?

— Sou.

— O amor é importante, Diú. Vamos ficar juntas sempre, você vai me proteger.

Por entre as pernas torneadas da mesa vejo os tornozelos mal torneados de Dionísia do mesmo tom da madeira. Pesados de varizes. Passou agora tão perto que pude ver as veias matrizes descendo como rios sinuosos se aliviando nos afluentes.

— O telefone tocou tanto, Diú. Você atendeu?

— Era engano.

— Engano. Podia ser ele, hein?! Cada dia que passa eu sinto que Diogo está mais perto. Mais perto. Às vezes quero morrer para depois ressuscitar jovem igual ao retrato que o polonês fez. Mas a gente não pode escolher a ressurreição, pode?

— Não. Ninguém escolhe nada, quem escolhe é Deus.

— Tenho rezado, Diú, estou com tanta esperança. Queria que você enchesse a banheira de água quente com sais, o perfume e a fumaça vão me dando sono...

— A senhora já tomou banho hoje, esqueceu? Quer que eu traga a televisão?

— Os loucos de antigamente eram tratados com banhos quentíssimos, entravam nas bacias e lá ficavam horas, as mãos boiando, os cabelos...

— Mas a senhora não precisa disso, ainda está bem.

Rosona se engastou no riso e no gole de chá. Beijou a mão de Dionísia quando ela lhe ofereceu mais pão.

— O Miguel dizia que minha boca era linda com essas cantoneiras para cima, uma boca alada, quinas dos antigos telhados chineses... Miguel querido, onde você estiver, ouviu isso? eu te amo. Algumas coisas devem ficar na obscuridade, é melhor não levantar o pano, deixa... Acho que descobri, Gregório não me fez feliz porque ele era infeliz, o que mais poderia me dar senão sua tristeza. Mas Diogo tinha o coração contente, tão apaixonado pelas coisas, Como é bom viver! ele vivia repetindo. Mesmo comigo, que sou um horror, ele achava graça na vida. Me amava e me rasgava como um gato rasga o rato, Quero de volta as minhas pernas! um cara gritou, tinham cortado as pernas dele. E eu aqui gritando e gritando, Quero de volta a minha juventude!... Querida, pode me trazer um pouquinho de uísque?

— Acho que já chega por hoje. Vou buscar a televisão.

— Tenho ódio de televisão. Queria ver o Pato Donald, tem desenho do Pato Donald? Fiquei tantos anos dormindo abraçada ao ursinho de pelúcia que o pintor polonês me deu, não sei onde foi parar...

Dionísia olhou o relógio-pulseira que esteve no pulso de Gregório até o fim. Cobriu-o com o punho do vestido.

— Daqui a meia hora tem um canal que só leva programa infantil, vou ligar desde já. Tenho que sair mas não demoro, a minha igreja.

— Outra vez?! Vocês ensaiam tanto, é pior do que no teatro, hein?!

— Faço parte do coro, já contei isso, a senhora não escutou.

— Vai, querida, vai e cante por mim. Meu cigarro, onde está? Tomar chá e aguardar, a mamãe disse. As mães não deviam morrer, deviam esperar os filhos ficarem velhos e então, de mãos dadas...

— Está aqui o cigarro. Se quiser frutas, a fruteira está cheia. Tem pastéis na geladeira e laranjas fresquinhas que a Cordélia trouxe lá da chácara. Ela está querendo casar, viu?

— Cordélia? Casar?... Mas os velhos todos são casados, Diú! Esse ao menos é rico? O viúvo parece que teve um derrame.

Dionísia recolheu a xícara na bandeja. Destapou o bule e espiou dentro. Aspirou a fumaça, a expressão embaçada.

— Desconfio que esse é, parece que tem fazenda, fábrica. Cordélia veio numa beleza de automóvel com chofer e tudo.

Fiquei olhando uma formiguinha ruiva que parou a um centímetro do meu focinho. Assim que me viu, botou as mãos na cabeça como fazia Rosa Ambrósio no tempo em que ensaiava suas tragédias. Subiu mais na tentativa de fugir, ficou na ponta da fibra de náilon do tapete mas no pânico, perdeu o equilíbrio e despencou no abismo.

— Tantos planos, tantos sonhos — repetiu Rosona com sua voz pesada. — Mandou tatuar um dragãozinho na bunda. Ou foi no peito? Enfim, um horror. Feito esses marinheiros de cais.

Saí debaixo da mesa. Rosona abriu ao acaso o livro que deixara no chão ao lado do sofá e leu, a voz aveludada, *Todos os perfumes da Arábia não bastariam para perfumar.* Fez uma pausa. Fechou o livro. *As minhas mãos.*

— A senhora quer mais alguma coisa?

— Queria, sim, queria tanto fazer esse papel, uma rainha de sapatos de ferro, sete montanhas, sete mares... Quando Diogo veio trabalhar aqui, pensei que a minha filha e ele iam se apaixonar. Imagine, quem se apaixonou fui eu. O despudor dessa menina, confessar à Lili que quase morreu de prazer aí com um velho entortado. Tudo impotente, hein?! Traga mais chá, querida, deixa que vou bebendo aos poucos. Meu hálito está ruim?

Com uma certa cautela Dionísia foi se aproximando do sofá.

Rosona bafejou-lhe na cara.

— Está com cheiro de cigarro e pão.

— Meu Pai! — chamou Rosa Ambrósio com voz rastejante. Fechou os olhos. — Meu Paizinho...

Deve ter se enchido de pílulas quando me comunicou que ia ao banheiro para esvaziar o tanque. Por esse mesmo Pai ela ficou chamando quando a gatinha Lorelai despencou da janela. Era uma mimosa gatinha que a amiga achou na rua. Não podia ficar com ela porque seu pequinês era muito bravo mas se a Rosa quisesse uma gatinha para me fazer companhia, aí estava a Lorelai, não era mesmo um amor?

Rosona ficou feliz, Mas é deslumbrante! Nunca vi uma gata assim, tem um olho azul e outro verde, uma raridade!

As objeções começaram em seguida, como é do seu estilo. Mais um bicho para a pobre da Dionísia cuidar, hein?! E se o Rahul, que é um verdadeiro Otelo, morrer de ciúmes dela? Dei-lhe as costas, a idiota. Gregório já estava morto. Que outro ser naquela casa de loucos poderia me interessar? Ainda assim fiquei ouvindo como uma flagelação os argumentos de Lili para que Rosona aceitasse a gata, eu podia brincar de fazer amor com ela, seria a minha parceira. Insistiu, brincar de fazer amor porque sabia que a minha rainha já tinha mandado me castrar quando eu era ainda menor do que Lorelai. Que durou exatamente três meses e uma noite, segundo os cálculos dionisianos.

— Minha gatinha se atirou da janela! Lorelai se matou! — gemeu Rosa Ambrósio quando se entregou chorando aos braços de Diogo. Transferiu-se em seguida para os braços da filha que desceu do seu apartamento descalça e vestindo apenas o penhoar curtinho, os cabelos lavados pingando água, estava saindo do banho quando começou o berreiro.

— Os gatos também se matam — declarou Ananta do alto da sua sabedoria enquanto preparava um calmante para a Rosona, contrariando Diogo que vinha com uma dose de uísque puro, Só pra dar uma força. Com a licença da analista, curo os meus choques com uísque.

Lorelai não se matou, quem se matou foi Gregório, eu poderia ter dito se pudesse dizer. Subi na poltrona e fiquei olhando a gatinha inerte nas mãos de Dionísia. Estava meio embrulhada num pedaço de jornal. Sem sangue. Dionísia gaguejava, a cara cinzenta.

— Encontrei a coitadinha... Estava no gramado aqui em frente, fui comprar leite e me assustei quando vi aquela coisa branca, a noite não está muito escura... Daí pensei, é um bichinho de brinquedo, alguma criança deixou cair da janela, fui ver... Acho que morreu na hora.

Ananta tinha uma reunião, precisou sair. Saiu e chegou Lili numa onda de perfumes e brilhos, Vim convidar a Rosa, um coquetel... Daí o porteiro me contou, que tristeza!

Em meio do espanto paralisante das mulheres, Diogo parecia satisfeito em assumir o comando. Dirigiu-se à Dionísia.

— Depressa, me arranje uma caixa de sapatos.

Mas não esperou, foi enveredando pelos aposentos e acendendo as luzes, Esta casa precisa de lâmpadas mais fortes! Abriu armários, gavetas. Ao entrar na sala de ginástica, me viu na porta. Apontou-me com o dedo acusador, Viu só? Você não quis comer a gatinha e agora ela morreu.

Olhei-o bem nos olhos. Ele não sustentou meu olhar, pareceu se perturbar. Ou a perturbação era apenas minha? Animou-se de repente, Achei!, e tirou debaixo da bicicleta uma caixa de papelão com as sapatilhas de ginástica que Rosona comprou e não usou.

Dionísia recebeu a caixa. A voz saiu pálida.

— Não vai caber.

— Vai caber sim, me dá aqui a bichinha.

Tirou a gata das mãos dela. Acomodou-a rapidamente na caixa vazia, o longo rabo peludo ainda de fora. Com um gesto preciso ele conduziu o rabo que suavemente cobriu o corpo enrodilhado de Lorelai. Tampou a caixa. Tomou Dionísia pelo braço.

— Vá à clínica de gatos aqui adiante, você sabe, e peça... — Fez uma pausa. Sentiu que estava sendo observado pelas mulheres. Ficou de costas e apertou o braço de Dionísia, obrigando-a a dar meia-volta na direção da cozinha. Acompanhou-a até a porta. — Depressinha, leve este dinheiro, cremar se possível. Pague e volte em tempo de servir sua sopa. Vai!

Ela resistiu apertando a caixa contra o peito. Baixou a cabeça.

— Como foi acontecer isso, credo! Um bicho se matar...

— Era uma gata bobinha, ela não se matou, aconteceu outra coisa — disse e voltou para mim o olhar malicioso. Ele sabe.

Ainda uma vez Diogo acertou, Lorelai não tinha nem ideia da morte. Gostava de me provocar sabendo por instinto que eu era inofensivo e ainda assim, provocava. Quando enjoou da provocação, resolveu brincar sozinha. Subiu no parapeito da janela e começou a mexer na cortina. De repente enroscou a pata no forro. Enrolou-se nele. Perdeu o equilíbrio e lá se foi pela noite sem ter tido tempo de dizer Miau.

— Miau — digo por ela e por todos os gatos que saltaram das janelas das prisões.

Rosona mexeu-se no sofá. Resmungou quando esbarrou na bandeja, a xícara tombou. Ainda de olhos fechados ela foi tateando por entre as almofadas, procurando os cigarros. Ou o copo. Apanhou uma almofada. Cobriu a cara.

— Enfim, não interessa mais. E eu poderia, hein?!... Macbeth. O porte, a voz. A força... A idade, por que não?

Vou para a cozinha completamente escura, Dionísia ainda não voltou da igreja. Rosona chama por Deus. Subo em cima da pia azulada na penumbra. Não acredito em Deus mas peço a esse Deus que as minhas lembranças sejam lavadas com a simplicidade com que Dionísia lava aí nesse mármore a borra negra de café que desaparece no ralo. Devido à exalação dos motores e gases de aquecimento até o mármore de Roma está virando gesso. E o resíduo da minha memória continua inalterado feito pedra. Pretensão da minha parte, diria Diogo. Antes fosse.

Inventei tudo isso? pergunto de novo. Um gato que sonha com o homem assim como o homem sonha com Deus.

12

— A gente precisa parar tudo às vezes, até pensamentos, palavras ou obras, disse a mamãe. Meu avô alemão tinha um ditado que de tanto ouvir decorei, *Tee Trinken Und Abwarten*. Tomar chá e aguardar. Foi o que fiz quando o pai avisou que ia comprar cigarros e até hoje. Então me sentei e fiquei esperando. Quando desconfiei que ele não voltava mais, fui fazer outra coisa.

Cerzia meias no ovo de madeira, estava sempre cerzindo meias, mas tinha tanta meia assim para cerzir? Os sete anos das vacas magras. Vieram em seguida os anos das vacas gordas, o ovo ficou fechado na caixa. O ovo e ela. Mamãe querida, estou seguindo o conselho dele, desse avô. Tomar chá e aguardar, ah, mamãe, mamãe! fico chamando e sinto que uma sombra veio até minha poltrona. O olhar minucioso procurou minhas mãos. Inclinou-se como se fosse me beijar, dilatou as narinas. Fui recuando com o copo.

— Mas Rosa, não é chá isso que você está tomando!

Encolhi-me como fazia quando ia dormir em seu regaço. Estou com medo, mamãe. Então disfarço porque se descobrem passam por cima de mim feito um rolo compressor. Você é corajosa mas eu sou parecida com o pai, ele não era frágil? Quando dizia uma coisa, lembra? visivelmente estava pensando em outra. Um espanto ter cumprido sua última decisão, saiu e não voltou. Parecia despreocupado, chegou a assobiar quando disse que ia comprar cigarros, por acaso eu não queria nada da rua? Não ia demorar porque pastel frio não tem a menor graça, você fritava pastéis. Os pastéis esfriaram. Nós duas esfriamos enquanto você repetia que é preciso às vezes ficar sem ação, esperando. O quê?!

Ela não responde. Estou só, fechada na noite. Fecho o copo nas mãos mas ele é duro, resiste. Atiro o copo longe e o ruído estilhaçado me acalma. Ela não está nem nunca esteve nesta sala. Posso beber este e os bares do bairro, do mundo. Não saberá se é chá ou uísque e sabia — mesmo que lhe arrancassem os olhos, os ouvidos — quando começava a Primavera. Sem se aproximar muito já sentia o cheiro de bordel na roupa dele. Veio a morte e estancou todos os cheiros, até o próprio, o que é uma sorte.

O cheiro do medo é de amêndoas amargas. No medo, as evasões, tantas. A obsessão de acumular bens, os bens materiais e os outros. Acumular amores. Amigos e até inimigos. Quilos de ouro em pó antes de virarmos pó mas sem aquele brilho. Objetos e orgasmos múltiplos. E a morte única. Ajoelhei-me ao lado da cama e comecei a passar o pente em seus cabelos, cheguei a pedir desculpas quando tive que desenredar um emaranhado de fios, fazia assim com as minhas bonecas.

Um momento, mamãe querida. Este pedaço merece outro copo que procuro tateando descalça na escuridão, um caco vai entrar no meu calcanhar e vou ficar aqui estendida, me esvaindo feito aquele artista, não sei o quê, Holden. Richard? William? Eu gostava dele. Bebeu, bateu a testa na quina da cama e ali ficou, o sangue silencioso escapando pela brecha. Foi encontrado exangue, ex-sangue! grito e volto sem o caco e sem o copo. Destapo a garrafa. Ainda não tinha notado como seus cabelos eram negros, poucos fios brancos, só as têmporas grisalhas. Os olhos azuis entreabertos. Dá licença, mãe, tenho que fechá-los porque os vivos não gostam que os mortos fiquem assim espiando. Mas as pálpebras teimosas voltaram a se encolher. Ficaram as duas frestas oblíquas. Na despedida encostei a face no seu peito gelado, Está me vendo, mamãe? Seu hálito rastejou pegajoso como se os caules das flores que a cobriam estivessem mergulhados desde a véspera em água parada. E se o seu pai souber e voltar antes que?..., ela sussurrou. Olhei o relógio. Olhei a porta. Apertei-lhe a mão, É claro! ele deve estar chegando, hein?! Atrasou-se porque é confuso, disse e fui ao encontro dos dois vagos primos que já vinham com a tampa envernizada, Ainda não! Atraquei-me com o mais resistente, Espera!

Quando contei essa cena a Gregório, ele tinha o ar complacente de quem já conhecia de sobra os desastres da jovem histérica tumultuando o enterro da mãe. Não fez comentários. Mas Diogo ficou aceso, pediu detalhes, impressionava-se com o acessório, por acaso a mamãe quis comungar antes de morrer? Reparei se no dia da fuga o meu pai fez a barba? Saiu de gravata? O pormenor. Nas partidas de futebol, não era propriamente o gol que o empolgava mas todo o tecido de imponderáveis que envolviam esse gol. A preparação. O preâmbulo. A pergunta final veio inesperada, será que eu ainda me lembrava da música que ele assobiou antes de sair para comprar cigarros lá na Mauritânia?

O "Tico-Tico no Fubá", respondi e Diogo riu. Segurava um disco nas pontas dos dedos, tinha um jeito especial de transportá-los sem deixar neles a menor impressão. Não se surpreendeu com a ausência do meu pai no enterro da mamãe, era natural que a outra o proibisse de ver a ex-mulher Viva ou Morta. Mas não ter aparecido no enterro de tia Ana?... Não era ela uma dama beneficente de prestígio? A morte da matriarca, disse ele cerrando a palavra entre os dentes. Foi noticiada, não foi? Quer dizer que ele não voltou nem para partilhar da herança de Ana Grana?

Vesti o roupão, enxuguei na gola os cabelos que se molharam na ducha e comecei a dobrar as mangas compridas demais, o roupão era dele. Lembrei a hipótese do meu pai já ter morrido nessa altura embora a mamãe, uma vidente, intuísse que ele vivia. E quis depressa passar para outro assunto que esse era o próprio terreno minado com a detestável coincidência nas fugas paralelas: a mãe de Diogo também se mandou, a diferença é que escolheu a linguagem direta e concreta, fez a mala. Anunciou ao marido que tinha alguém à sua espera e foi saindo como quem sai de um coquetel.

Fui buscar uísque e um pacote de biscoitos. Diogo parado no meio do quarto, imóvel com sua perplexidade e seu disco. Pensei como ele ficava bonito quando estava triste. E pensei que seria maravilhoso tê-lo sempre assim ao meu lado mesmo sem o sexo. Principalmente sem o sexo. Mas era possível um amor casto? Olhei-o com infinito cansaço, trinta e três anos, por aí. Quase dois metros de altura e aqueles ombros e pernas, só músculos. A massa volumosa do sexo aplacado sob o elástico da sunga vermelha, ô! meu Pai.

Tarde da noite. Deus me deu a paz sexual, eu tinha dito ao repórter nesse dia, aquelas perguntas idiotas sobre o amor. Sentei-me e fiquei roendo um biscoito. Ele ainda morava no antigo apartamento que fica neste bloco, fartamente iluminado, sempre precisou de claridade. Os cômodos espaçosos, muitos mármores nos banheiros, a construção tinha mais de trinta anos. Insisti para que viesse ocupar o meu apartamento aqui embaixo e que estava vago. Novo, enorme. Estaríamos mais perto, as coisas ficariam mais fáceis. Resistiu o quanto pôde, Sou um tipo esquisito, Rosona, iria me sentir menos livre e fico alucinado quando perco a liberdade. Cedeu quando lhe dei o Porsche. Você está me comprando, disse e fez a mudança. Veio com sua beleza, sua música. Rua! eu disse e enquanto dizia senti o horror da minha cara, um monstro de mesquinharia. De inveja. Mas nessa noite — tarde da noite — ele ainda estava ali descalço com sua sunga e seu disco. Que foi levando com a gravidade de quem leva uma hóstia. Depositou no prato do toca-discos o *blue* lamuriento da velha-guarda do jazz e começou a falar no mesmo tom azul-roxo da música.

— A Denise estava me vestindo para o colégio. Eu sabia me vestir sozinho mas me atrapalhava com os sapatos de amarrar, nunca sabia o pé certo. Estranhei quando minha mãe entrou no quarto, pronta para sair. Me deu uma barra de chocolate e um beijo perfumado, gostava de perfumes. Pediu que eu fosse bonzinho com a Denise, com o papai e com a professora, ia viajar. Quero ir junto! implorei aos gritos. Ela fez um sinal com o dedo, que eu me calasse. Usava um anel de pedra verde nesse dedo, tinha anéis em quase todos os dedos, feito cigana. Enfiou o papel do novo endereço no bolso da Denise e saiu sem olhar para trás. Fui correndo espiar da janela. Atravessou o jardim carregando uma pequena mala e entrou no carro, mal pude ver a cabeça do homem e o carro já saiu num arranco.

Olhei para o lustre com suas lâmpadas fortíssimas, todas acesas. Pedi uma dose de uísque que virei de uma só vez. Quando desatei a falar, retomei o caso do meu pai com seus embrulhos, exagerando o lado cômico das embrulhadas na esperança de fazê-lo rir. Recusou a isca, desinteressado do meu pai e do resto. Minha boca foi se enchendo d'água, a ânsia travando o meu peito, o olho inundado — ô, meu Pai! Pensei na mamãe explicando que certas feridas que parecem fechadas explodem da noite para o dia como a rosa-gangrena do joelho de tia Ana, era diabética. Um gesto, uma palavra e o sangue já engrossava feito lava de vulcão na fúria alastrante.

Tinha a poesia da rosa que aprendi com as freirinhas, *Era uma rosa vermelha, metade de veludo, metade de cetim.* A outra poesia contava a história de outra flor que não desfolhou mas foi arrastada pela correnteza, *Fonte, fonte, não me leves, não me leves para o mar!* Enfim, tudo triste.

Diogo deitou-se ao meu lado. Sacudiu o copo. A pedra de gelo fez blim-blim como um pequeno sino submerso. Beijei--lhe a mão, tirei-lhe o copo e triturei o gelo nos dentes, qual dos dois foi o mais cruel, meu pai, o Senhor dos Embrulhos ou sua mãe, a Senhora dos Anéis? O blue recomeçava implacável, atrelado à confissão.

— Meu pai era engenheiro, um homem tranquilo, ele disse. Mas entrava de vez em quando numas crises que eu não entendia, que ninguém entendia, ou se trancava num silêncio atroz ou ficava colérico sem motivo, injusto principalmente comigo. Me olhava enviesado, chegava a me evitar como se evita um inimigo. Passado o acesso que era curto, ficava arrasado, cheio de vergonha e então começava a me agradar, tentando me fazer esquecer a injustiça, mas tão aflito que eu acabava mais acabrunhado ainda, Estou bem, papai, não se preocupe! Tinha uma amante. A mamãe já tinha ido embora. Nunca vi essa amante, era discretíssimo, falava com ela pelo telefone no mesmo estilo profissional com que falava com os empregados do escritório. Morreu num acidente de avião quando eu me preparava para os vestibulares. Larguei os estudos, larguei a namorada que já vivia com meu amigo e fui morar em Barcelona. Quando acabou o dinheiro, voltei e me meti num negócio de publicidade. Depois que ele morreu é que entendi, desconfiou sempre de que eu não era seu filho.

Sei fazer a mesma cara neutra da pequena Ananta ouvindo as barbaridades que a gente vai contando naquele divã mas não aprendi o seu silêncio e perguntei uma bobagem qualquer. E agora chega! respondeu exasperado, empurrando o meu peito, tinha me pedido o peito. Tirei de letra, a Lili vive tirando tudo de letra, deve ser no estalo. Então tirei de letra, ainda a tragédia de Édipo-Rei, haja saco! A reconciliação foi demorada. Difícil. Quando saí do apartamento, era madrugada. Encontrei o querido Gregório — querido, sim, não estou sendo cínica! — ainda acordado, lendo. Ou escrevendo aquelas coisas curtas que depois amassava e jogava fora. Para me justificar, comecei a mentir, o que sempre fiz mal, sou convincente só no palco. Queixei-me da peça de O'Neill, um pastelão onde não acontece nada além dos infindáveis diálogos de uma família na fossa. O ensaio fora infernal, a discussão com o diretor degenerando em briga, contei pormenores da discussão. Me pergunto hoje se Gregório acreditava nessas mentiras que se enganchavam umas nas outras meio ao acaso como os elos de uma corrente. Acho que nem ouvia, nunca me levou a sério. Palavras, risos e lágrimas deslizavam por ele feito espuma, gostava de ensaboar as mãos bem demoradamente como fazem os médicos antes da cirurgia. A água jorrando entre os dedos e a indiferença.

Estou exagerando, ele não era indiferente. Defendia o seu mundo trancando a porta, chega de invasores! O que eu nunca consegui fazer, a verdade é essa. Mas uma vez ou outra me estendia a mão embora soubesse de Diogo, das minhas farsas antigas e recentes, ah, sim, sabia de tudo. Apenas preferia se calar. Ou se calava simplesmente porque estava se lixando? No filme *...e o Vento Levou* o cara já cheio responde à Scarlett O'Hara, Estou cagando para o que você vai fazer. Hein?!... Mas espera, naquela madrugada cheguei inventando o ensaio, a discussão e ele quieto. Fumando. Quando falou foi para sugerir a ceia, trouxera uma lata de salmão, azeitonas e o melhor vinho português, devia ter sobrado pão na cesta.

Comemos com o apetite da inocência, ô meu Pai! que fácil ficava a vida sem disfarces. Sem mentira, mas então havia esperança? Respondeu quando me olhou bem no fundo dos olhos. Baixei a cabeça, confundida, mas até quando tinha que ser esta tonta querendo sempre o que não tinha. Por que não pisava com os dois pés no presente? Um maldito pé nostálgico ficava no passado enquanto o outro pé, o da ambição, se perdia no futuro, o demônio da cobiça me empurrando, vai! Vai! Imitando a mentecapta da Lili que assim que chega num lugar já quer estar num outro, ai! as Ilhas Gregas!... Vai pras Ilhas Gregas e de novo o bico, ai, as Ilhas Turcas! Só no palco, não é estranho? sempre fui inteira. Sem evasão da vontade, como diria a analista. Essa Ananta. É porque você sabe que só o grande artista aceita levar apenas um copo d'água, disse o Diogo. A soberba tem dessas ciladas, garota. Pode ser. Mas quero deixar bem claro que nunca fugi em cena, as fugas foram aqui fora. Representei então melhor do que vivi? Nem isso.

— Por que não começa agora a vida que te resta? pergunto em voz alta. Estou dividida: sou o sargento enfurecido que interpela o recruta que quer dar baixa. Sem honra. Em posição de seeentido! e fazendo nas calças. O outro fazendo também porque não tem moral para se impor ao subordinado. Mas precisa ser arrogante. Exigente. O recruta se apruma, heroico, já prometeu outras vezes, quer reagir, lutar! Amanhã mesmo me entrego à mais feroz limpeza por fora e por dentro, por acaso não sou livre? Hein?! As rédeas do meu destino não estão nas minhas mãos?, pergunto retumbante e o sargento se cala porque nas minhas mãos ele está vendo outra coisa.

— Dona Lili no telefone. A senhora atende?

Dionísia está parada na minha frente com o pano de pó na mão, mas de onde vem tanto pó? Ela não me persegue, me segue. Com atenção, não devoção.

— Diga que não posso atender, que estou no banho mas peça que me telefone amanhã sem falta, que penso muito nela, tanta saudade, você diz?

— Digo.

A última amiga que me restou, a Lili. Tão leal, na linha do devotado amigo. Quando *A Dama das Camélias* ficou pobre fugiram todos, restou só esse amigo platônico com a cara platônica resistindo até o fim. Dionísia também é fiel com seu avental de vigilante. E minha filha, pobrezinha, desparafusada mas gentil, me procurando nas raízes. Uma fatalidade. Decepcionar aqueles que me amam. Quero que me deixe em paz!, gritei ao Diogo e ele respondeu, Você não quer ficar em paz, você quer beber em paz! Mas estou repetindo, já falei nisso. Ou não?...

— Meu hálito, Diú. Está muito ruim?

Ela continuou parada. A expressão desgostosa.

— A senhora perguntou ainda agora e eu disse que ele está bom.

Os hálitos horrendos, meu Deus, o hálito do Otelo me deixava tonta, eu chegava a prender a respiração. Masca esta pastilhinha, meu querido, abre tanto a garganta, eu sugeria antes que ele abrisse a cloaca ignóbil naquele palco sem defesa, no palco estou defendida. E sem defesa.

— Lembra, Dionísia? O hálito de Gregório era azul, tão leve como a fumaça. Amado Gregório, não me amava e me amava. Cordélia é boazinha mas gostava era do pai. Mecânica celeste. Tão pobre, encarcerado e torturado. Traído. E era dele que ela gostava, como se entendiam aqueles dois, hein?!...

— Na semana que vem é o seu aniversário, a senhora já entrou no seu Inferno Zodiacal.

— Nunca saí dele.

Vejo Rahul se lambendo debaixo da mesa, também ele achava o Gregório deslumbrante. E até a analista aí em cima. Encontraram-se poucas vezes mas ele tinha a virtude dos deuses, era silencioso. Dois silenciosos se encontrando e se despedindo — mas por que o silêncio dá esse prestígio? A autoridade da igreja silenciosa. Misteriosa. Você devia escrever ao arcebispo Lefèbvre que é tradicionalista, disse o Diogo. Mas não se queixe se for excomungada.

— Enfim, eu estava dizendo outra coisa, não interessa. A menor importância...

Agora lembro, eu dizia que depois da morte ele cresceu tanto. A morte na hora certa, antes das doenças humilhantes, da decadência. Não tinha medo da morte mas da cadeira de rodas, me disse isso. O horror da sopinha na boca, o horror do penico. O coração solidário ouviu e parou na hora exata, é preciso saber se despedir.

— Dona Lili comprou um aparelho de cinema igual da Cordélia, tem um monte de fitas novas.

— Queria ver *A Dama das Camélias*, lembra? Paguei-lhe o amor, nada lhe devo! ele disse e me atirou as moedas na cara. Ou fichas? Fui uma grande atriz, querida. Não viu essa peça?

— Não.

— Arranquei lágrimas de gente que não chora nem quando morre a mãe, todos urrando de tanto chorar enquanto eu morria podre de beleza, tossindo num lencinho.

Décadence. De tanto fingir que cuspia sangue, acabei cuspindo, Gregório! saí gritando, cuspi sangue na pia! Ele estava no escritório escrevendo ou lendo, não sei, em torno dele tem que haver sempre uma dúvida porque assim são os seres extraterrenos, chegam e partem nas nebulosas.

— A senhora já sabe? A Cordélia está aprendendo russo. Fui lá hoje cedo, ela estava com o professor.

Se for velho, já está transando em russo.

— Ele é velho?

— Quem?

— Esqueça, querida.

Olho para o espelho que me olha geladamente, me julgando. Uma diva no divã. Foi no ginásio? aquela amiga que se chamava Diva. Tinha o pé entortado, a pobrezinha, não podia dançar com a gente na Festa das Aves. Nem na Festa das Árvores.

— Posso servir o chá?

Tomar chá e aguardar. Então ele chega com seu buquê de camélias, me toma nos braços e me leva desfalecida até a janela, as mulheres eram frágeis, desfaleciam com qualquer vento, Vai, amor, respira! Quer que eu respire fundo, quer que eu viva até o fundo! Vai, mais uma vez!

— Se eu tivesse certeza, Diú, que ele vai voltar, se tivesse certeza me internava amanhã mesmo lá naquela clínica, torci o pé, pronto. Recomeçava tudo de novo, vinha o doutor Não-Sei-O-Quê com a enfermeira parecida com a analista aí em cima. Tanto cuidado, tanto zelo, o diretor me mandando flores. Adeus ao álcool!

Dionísia traz a bandeja.

— Já passei manteiga na torrada. Vai, come.

Vai, levanta. Vai, dorme. Beijo sua mão, Adeus meu Pombo!

— Você acha, Diú? Que ela é virgem?

— Quem?

— Ananta.

— Eu é que sei?

— Quando eu disse que uma jovem e ainda por cima virgem não podia me ajudar, ele ficou irritado, que eu era preconceituosa. Andava impaciente. O Gregório, claro. Eu não estava criticando a Ananta, só quis dizer que ela é muito inexperiente. Ele não andou se queixando, Diú? Da dor de cabeça.

— Ele não costumava se queixar, a senhora sabe.

— Você nunca teve o pressentimento? Que ele fosse embora assim depressa?

— Assim, não. Come, a senhora emagreceu.

— Vai ser tão bom, Dionísia. Quando ele voltar. Isso tudo que aconteceu me fez pensar tanto, eu mudei muito, você não acha que eu mudei? Hein?!...

— Hum. Hoje é Lua Nova. O santo do dia é São Longino, Santa Luísa e Santa Leocrácia. O pensamento é que uma alma forte pode vergar mas não quebra. Nas costas do dia está o encontro de Jesus com os leprosos, todos fogem dos leprosos menos Ele.

— Por caduquice não vou vender a alma ao Diabo. Não sei, mas os mitos... Deviam morrer cedo, os mitos. Antes da queda dos cabelos, dos dentes, das carnes. Antes da mudança para a Rua das Ruínas, existe essa rua?

— Meu Pai Celestial! gemeu Dionísia me puxando pelo braço. Até esqueci de contar, é uma notícia boa, o Diogo telefonou. Ficou de aparecer.

13

Entrei e fiquei perplexa, olhando. Ele parou também em meio do gesto que fez para me cumprimentar, o olhar interrogativo. Apertei-lhe a mão.

— Desculpe, não é nada não, doutor. É que o senhor se parece tanto com uma pessoa... Era o meu secretário, Diogo. Diogo Torquato Nave, conhece?

— Não, não conheço.

— Mudou-se para a Espanha, Barcelona. Tive que arranjar um outro secretário, a Espanha fica um pouco longe, hein?!...

Ele concordou. Longe. A cadeira é desconfortável, cruzo e descruzo as pernas. Diogo podia ser o irmão caçula desse médico que a Lili descobriu e me impingiu, minha idiotice maior reside nisso, em seguir os idiotas. Tiro os óculos escuros, abro a bolsa para guardá-los e me atrapalho quando vou tirar os cigarros porque o pente veio junto e com o pente, o chaveiro. Acendo o cigarro, não queria que a minha mão tremesse. Ele me estende o cinzeiro, há sempre alguém por perto me estendendo um cinzeiro, o pavor que as pessoas têm da cinza que pode cair na poltrona, no tapete. Pedi ao Diogo que atirasse minhas cinzas ao mar e ele me pediu uma lancha. Tudo romântico como vi no filme, a diferença é que a semeadura foi no campo. Você precisava ver a mocinha cavalgando descabelada, levando na ânfora as cinzas do amado para espalhar no vale, os violinos no auge, o público chorando mas era tanta cinza na ventania que o céu até escureceu e o cinema caiu na risada, mas o cara era um dinossauro?

— Quer tirar o casaco? ele sugeriu.

— Não, eu queria ver onde deixei... ah! está aqui, *merci!*

Fecho a bolsa. Mas o que eu vim fazer neste consultório? Encaro o neurologista. Doutor Marcus. Meia-idade, bonitão, parecido com o Diogo até na expressão meio irônica com que o outro me ouvia mentir, Sou todo ouvidos. O assistente, um velhote de sobrancelhas eriçadas de duende já se ocupou dos exames menores. Vamos entrar agora no reino da neurologia pura, avisei aos meus neurônios.

— A senhora se sente cansada...

A senhora se sente velha. Vai querer agora saber sobre bebidas, pílulas e etecétera. *Okey*, já foi um avanço o assistente-duende anotar as informações sobre cigarro e miudezas. Se me distraio um pouco, ainda vai perguntar se frequento aquela festa-baile da televisão, Dionísia fica sentimental quando assiste, os velhotes atracados nos boleros. Porra, que é que estou fazendo aqui!

— Não se importa se eu fumar?

— Faz favor...

Logo vai começar com a investigação sobre a zona nobre. Apartamentos na zona nobre, o Diogo mandou anunciar nos classificados do jornal, há tanto tempo meus apartamentos estavam vagos. Então redigiu os anúncios escandalosos que falavam em Suíte Master e Sala Íntima. Os jecas vão adorar, suíte exclusiva do dono não dá tesão? Todo político quer curtir a palavra que aprendeu depois de eleito: privacidade. Então vai ter a Sala Íntima que é apenas menor do que os outros cômodos mas vai se sentir íntimo nela, o Master vendo a novela no televisor. Ou palitando os dentes. Ou tirando ouro do nariz. Foram alugados, Rosona! ele veio anunciar triunfante. Dois políticos e um executivo, acrescentou passeando sua nudez inatingível. Riu ao entrar na ducha fria, Eu não disse?

— Estou sempre cansada, doutor Marcus. Sempre exausta.

Está me olhando com olhar bondoso, não está mais irônico, agora é só bondade.

— A senhora costuma beber todos os dias ou?...

— Bebo todos os dias. E preciso estar em forma, já começaram os ensaios da nova peça, sou atriz.

— Sei que a senhora é atriz. Por sinal, uma grande atriz. Posso saber qual é a peça que a senhora está ensaiando?

— *À Margem da Vida*. Faço um papel que sempre sonhei fazer, o de Amanda Wingfield, o senhor conhece essa peça?, pergunto e olho ostensivamente para o relógio-pulseira. Que não está no meu pulso, cubro depressa o pulso. Estou bebendo menos desde que a minha analista sumiu, doutora Ananta Medrado, o senhor conhece? Não deve conhecer, é muito jovem... Pois saiu de casa e não voltou até agora, com algumas pessoas das minhas relações já aconteceu a mesma coisa a começar pelo meu pai. Sim, muito estranho, digo e me levanto. Mil desculpas, doutor, tenho que sair imediatamente, o ensaio vai começar, marquei tudo ao mesmo tempo, lamento tanto!

— Mas... Houve algo que...

— Não houve nada, imagina, a culpa é minha, fiz confusão, é apenas isso. Mas por favor, não se incomode!

— Vou acompanhá-la.

— Não, não, *merci*!

— Gostaria muito de ajudá-la se puder.

Faço a cara melíflua que a Lili faz quando quer parecer desolada, Não pode, respondo com a voz lá de dentro. Esbarro na enfermeira e já vou abrindo a bolsa para tirar o talão de cheques, ela segura minha mão, então não me lembrava? preenchi o cheque quando cheguei. Saio ventando antes que cometa outra falha de memória e venha algum silencioso enfermeiro com a injeção que silencia, perigoso demais. Mexer com essa gente. Sorrio para o assistente-duende que me olha com o maior espanto, abre a boca para dizer. Não diz, já estou chamando o elevador. Que chega rápido mas repleto, avancei apenas uma perna e a porta-guilhotina já ia fechando com a minha perna atolada lá dentro quando um jovem me puxa contra ele e me salva antes que a porta. Ha, ha, ha, alguém riu e estupidamente eu fiquei rindo junto, engraçado, hein?! Vou me encolhendo e respirando pouco para não tirar o pouco ar que nos resta, Ô meu Pai, vai demorar muito esta descida? Ouço atrás o jovem que me salvou dizer ao outro que já está farto de tantos médicos e nenhum descobre o que ele tem, emagreceu vinte quilos. A voz do outro bem timbrada passou cortante como uma navalha assim rente da minha nuca, Você já mandou fazer aquele exame de sangue? Nenhuma resposta. Revejo Diogo me contando tristíssimo que seu melhor amigo do tempo do ginásio, o Mico que era dado a picadas estava morrendo da nova morte lenta-rápida. Queria tanto ver aqui atrás a cara do jovem solidário que me estendeu a mão — quero vê-lo porque ele me ajudou ou porque ele vai morrer? Aperto os maxilares e não olho, resisto. Ele também devia resistir e não saber, ah, não queira saber nunca.

É tarde no planeta!, digo num sussurro e procuro os óculos escuros. Não sei por que me vem de repente o nome *De Octubre Rojo a Mi Destierro*, um livro que Diogo levava para onde ia e que desconfio que não leu como não leu o outro sobre Trotsky mas precisava ficar perto dele. *De Octubre Rojo a Mi Destierro, a mi destierro*, repito e afundo a mão na bolsa, mas onde eles foram parar? Os óculos. *A mi destierro*, vou repetindo e a velha ao lado estica mais o pescoço de galinha depenada e espia comigo a bolsa revolvida. Acho que esqueci na mesa, esclareço à velha que parece mais aflita do que eu enquanto a massa ascensorial vai sendo despejada em cada piso e massa igual é recolhida, adeus óculos! adeus doutor dos neurônios e dama do pescoço, principalmente adeus meu jovem aí da retaguarda que não cheguei a ver e nem verei jamais.

Pessoas de vidro não deviam entrar em elevadores, saí toda trincada e ainda assim vou correndo, a rua, mais gente, Tenho um ensaio, abram passagem! queria pedir. Rosa Rosae, seja uma estrela mas não faça a estrela, os horários! Sim, Diogo, não fique assim furioso. Então vá depressa, vá fundo! Me afundo arquejante no assento já afundado do táxi velhíssimo, Para aonde? pergunta o chofer. Nem respondeu ao meu cumprimento gentilíssimo, está revoltado, todos estão revoltados. Respiro, as perguntas rápidas, a vida rapidíssima. Os lentos e os sem rumo como eu têm que inventar um rumo, acelerar o ritmo.

— Difícil.

— Não entendi, dona.

Faço um gesto amplo, pode ir rodando ladeira abaixo e dentro de brevíssimos segundos, ele pode esperar? Não pode não, já me olhou ensandecido duas vezes, era tão bom ter o Aldo me conduzindo, me adivinhava sem bússola, à deriva. Nuvem no vento. Era um contemplativo como eu. Você vai precisar de outro motorista porque o Aldo vai embora, quer criar galinhas, área rural. E eu não vou poder ser seu motorista, avisou o Diogo. Não estou pedindo para ser meu motorista, respondi e sua cara endureceu. Mas vai pedir. E estou me preparando para outros lances, quero dar uma guinada. Guinada em que sentido? Quando chegar a hora eu digo. Não disse porque depois armei a briga, rua! Rua. Guinada. Mudança de vida, desvio da proa, engajamento na política? De esquerda, é claro. Você parece o Duque de Orleans, querido, eu lhe disse um dia. Aquele que era ligado ao rei mas aderiu de cabeça à Revolução Francesa e acabou perdendo a própria na guilhotina. Era essa a guinada que ele anunciou? Na guinada podia também estar incluída uma viagem, tantos jovens deixando o país, esbraseados de amor mas arrumando as mochilas. O êxodo. Parece que o discurso amoroso só funciona quando se está longe, é na distância que começa a trabalhar o imaginário, a "Canção do Exílio" tem que ser no exílio, meu amor não cresceu agora que o perdi? E se ele estiver na Espanha? Não falei em Espanha lá com o doutor Neurônio? Hein?!... Revejo o brasão de São Paulo no casarão lá dos tios, *Não Sou Conduzido, Conduzo!* Levanto a cabeça, sou Napoleão apontando o coração da batalha.

— Entre na Praça da República!

— É contramão. E por aqui não dá, olha o congestionamento...

Ele agora faz gestos obscenos para o homem do carro amarelo emparelhado com o nosso, nos empurrando perigosamente para a calçada, A tua mãe, seu corno, a tua mãe!

— Cuidado! eu grito porque na cólera ele virou a cabeça e quase batemos em cheio na moto que nos cortou desvairada e enveredou por entre a fila de carros, meu Deus. Entre ali, por favor...

— Não posso, dona. Se a senhora dissesse aonde vai ia facilitar.

Estou de novo diminuída no assento sacolejante, quero apenas ficar quieta e não há um lugar de ficar quieta. Outra parada de carros se amontoando, buzinando, a impaciência. A raiva. E esse aí na direção que me olha pelo espelho tão hostil, hostil vem de hóstia?

— Vim do hospital, meu senhor. Uma pessoa que amo muito está morrendo. Está lá morrendo, me desculpe se estou assim atordoada.

— Tudo bem, a senhora quer passear, vai pagar o passeio mas neste trecho não dá nem pagando. Quer ficar naquela esquina?

Não se comoveu, também virou pedra. Vejo suas mãos ásperas, de unhas sujas. A camisa suada, suja. Está farto do táxi e dos passageiros. Farto da cidade, farto da miséria. E a burguesa vadia aqui com suas perplexidades. Não sei por que ele não se vira e me mata, se fosse ele eu me matava.

— Naquela esquina, desço na esquina. Peço desculpas, hein?!

— Não tem nada não. Desejo as melhoras lá do seu doente.

Comoveu-se. Meus olhos dançam nas lágrimas do doente que não existe, fui além da representação.

— Muito obrigada, quanto é? Fica com o troco.

Deixo o dinheiro no banco da frente e saio quase de joelhos, a saída é estreita, todas as saídas se estreitaram ultimamente, é melhor não entrar, ficar no casulo — até quando? A carroça-guilhotina virá me buscar um dia e Diogo me responde que pode acontecer uma coisa pior ainda, nenhuma carroça vai se lembrar de mim. Grudado na sola do meu sapato vem o pedaço de jornal que ele esticou à maneira de tapete para os pés molhados, tinha chovido. Fecho a porta suavemente, li a ordem escrita num cartão engordurado, preso junto ao trinco, Não Me Bata Por Favor.

A praça. Tantas vezes vim aqui com aquele pai fujão, era um lugar tranquilo, alguns casais de namorados. Algumas pajens fazendo tricô e vendo as crianças correndo nas alamedas de pedregulhos e areia branca. Então papai chamou o fotógrafo da máquina no tripé, nós dois posando de mãos dadas na pequena ponte em arco. Grandes chorões choravam o pranto verde-claro sobre o lago verde, um ou outro ramo mais longo boiando na água, O nome não é chorão, é salgueiro, ensinou meu pai arrancando uma folhinha que me entregou como se fosse uma esmeralda, guardei a folha, guardei o retrato. Sumiu tudo, ele na frente.

Mas é esta aquela antiga praça? Há dezenas de barraquinhas e tabuleiros com vendedores miseráveis vendendo suas miseráveis quinquilharias, mendigos em cachos e os passantes. Se houvesse ao menos um banco vazio mas a espessa vaga da miséria transbordou e ocupou os espaços, a praça ocupada. A cidade ocupada. Mas de onde veio toda essa gente? onde essa miséria se escondia antes? Eram gramados tão bem cuidados como os gramados dos parques londrinos e desceu um dos Cavaleiros do Apocalipse, o mais descarnado e encardido. Sigo meio encolhida pela alameda suja, os últimos cabeludos fazedores de pulseirinhas e brincos fazendo os brincos e pulseirinhas. Desdobrados nos panos pretos, o mostruário das peças prontas bordejando a relva empoeirada. Os tabuleiros de amendoins e doces coloridos, fico olhando os tijolinhos de doce de coco. Goiabada. Mas há alguém que se interesse além da mosca obumbrada voejando as maçãs? Maçãs cristalizadas, tão vermelha a anilina em calda de açúcar que escorreu e ficou. Deve haver alguém que compre e coma com tamanho prazer porque senão esse comércio ao sabor do vento... mas não vai chover, hein?! Pelo amor de Deus, hoje não.

Entro na alameda sinuosa onde estão enfileirados os bustos de homens que ninguém mais conhece, mas quem quer saber? Os de bronze com as placas já foram devidamente roubados, ficaram os heróis de pedra, benfeitores da pátria. Educadores. Poetas. Os passarinhos costumam pousar e defecar nas cabeçorras, eu disse defecar, mais respeito aí pelos senhores com as estrias negro-esverdinhadas descendo em profusão por entre os sulcos da cara. *Sic transit gloria mundi!* é o pensamento que me ocorre em latim, o latim combina com esta praça, com esta tarde, repito, *Sic transit!* e as pessoas passam e não ligam. Sempre há os loucos.

Acendo um cigarro e até agora nenhum assaltante, me esqueceram em todos os sentidos. E daí?... Estou livre do flagelo de sair da moda, de ficar um dia como esses pobrezinhos que já saíram faz tempo e continuam em exposição, não virá aqui nenhum moço empunhando o microfone, Seu nome? Idade? A senhora pode me dizer por que o mel deixou de ser doce?

Há um banco mutilado mas vazio. Peço licença ao passarinho sentado no espaldar e descubro que se perdi a ambição, perdi o medo. Modéstia, Rosa Rosae, diria o Diogo. O narcisista nasce e morre narcisista e você é uma narcisista delirante, assim que encontrar a fonte para nela espelhar sua beleza... Não é estranho? Ele me conhece e não me conhece, as conclusões são apressadas demais.

O retrato que tirei com meu pai onde foi parar? Rasguei tanta papelada, cartas e documentos rotos dentro dos plásticos rotos. As testemunhas picadas em pedaços tão miúdos — adiantou? Aos poucos elas vão se refazendo e me seguindo passo a passo na procissão lamurienta, eu sangrando na frente com a cruz da memória. Resisto, empaco, quero fugir e Eleonora me segura pelo braço, está atenta. Solidária, Rosinha querida, por que você chorava tanto na manhã do seu casamento, lembra? Passei pela sua casa e sua mamãe botando compressas nos seus olhos, Mas o que aconteceu, Rosinha? Você não ama o Gregório? e você pensando em Miguel, falando em Miguel, lembra? Falando em Miguel, sim, priminha! E sua mamãe querendo disfarçar com o esplendor da festa — que festa! — a lembrança do anjo aplacado sob flores, folhas, fingir com outras flores e fitas a lembrança escalavrante. Mas não estou querendo trazer só o lado triste, quero dizer que parecia um casamento de princesa, tia Ana já tinha morrido mas o inventário demorou, vocês tiveram que fazer dívidas, se afogaram em dívidas, lembra? Fui sua *demoiselle d'honneur*, segui atrás da fila dupla de crianças que iam andando e espargindo pétalas no tapete vermelho. E você com aquele vestido de apoteose que a sua mamãe não pôde pagar, um vexame, metros e metros de cauda de cetim branco, *Eu tenho um gatinho chamado Cetim, alegre e mansinho que gosta de mim...*

Fecho os olhos e vejo a querida tia Lucinda na igreja, está ajeitando minha grinalda. Tão elegante com seu vestido preto e suas pérolas mas tão magrinha. Miguel tinha morrido há dois anos. Ou três?... Despediu-se depressa, tinha que voltar, o tio ficara só em casa mas antes de sair levantou a mãozinha enluvada — a luva de jérsei de seda tão frouxa — e fez o mesmo sinal da noite daquele blecaute, um tímido V da vitória. Ainda olhou meio assustada para o lado, como se receasse o riso zombeteiro de Miguel. Baixo a cabeça. Alguém vem por detrás e me abraça. Posso ajudar, Rosinha? Quero fugir, a Zelinda, não! e ela me segura, Não fuja, prima, precisamos esclarecer alguns pontos, não tape os ouvidos, lembra? Meu presente de casamento foi o sininho de prata, uma mocinha de saia rodada e chapéu antigo, estavam na moda esses sininhos, blim-blim--blim! Você e Gregório no bangalô de tijolinhos vermelhos, esses bangalôs também estavam na moda, blim-blim! O biombo *art-nouveau* ficava na sua sala de jantar e tinha um espelho no centro imitando um sol. Foi nesse espelho que aparecemos enrascados, Gregório e eu. A copeira não ouviu o blim-blim-blim e você foi buscar a cestinha de pão. Fui até Gregório e o desejo latejante, nos agarramos ali mesmo. Então você voltou e viu refletido no cristal alumbrado do biombo os amantes se beijando num alumbramento. Mas não fique assim, Rosinha, você disfarçou tão bem e eu morri faz tanto tempo, você sabe. Morreu comigo a traição imprensada entre o carro e o poste. Que pena! disseram, a Zelinda tão bonita e jovem! Só você não disse mas pensou, justamente a prima mais amada foi fazer isso comigo. Mas nesta altura você já está sabendo que as traições, as piores, são feitas mesmo entre as pessoas mais próximas, da maior intimidade. Foi sua a ideia desse jantar, eu tinha sido nomeada para o cargo de Consultor Jurídico, merecia a homenagem de um jantar íntimo, tão íntimo que deu naquilo, sem querer fazer ironia. Aplausos para a futura grande atriz que representou perfeitamente o papel da esposa traída e distraída. Mais um pouco e já acabo, é dolorido, eu sei, mas é preciso ir até o fundo, você descobriu e continuou igual, tão alegrinha com a cestinha de pão. Tudo seguindo dentro do previsto, menos a minha morte estilhaçada entre o poste e as ferragens. Vamos, prima, pode se apoiar em mim, eu sei que é duro mas tem que ser dito, me fortaleci, eu ajudo. O sininho, blim-blim-blim! foi parar no lixo na mesma noite em que você foi parar na cama daquele diretor de barbicha, não era o Veronesi? Veronesi, querida Rosinha. Prometeu e lhe deu o primeiro papel importante da sua bela carreira. Você detesta datas mas vou avivar sua memória, isso foi um mês depois do famoso jantar, menina esperta. Mas não fique assim crispada, relaxa. Estou morta e na morte vai se apagando tudo, a verdade, a mentira, a razão e a emoção, não resta mais nada, fica só essa vaguidão que é a eternidade. Não peço perdão porque não há absolvição ou condenação, não há réu nem vítima, tudo se reduz a fatos com a simplicidade deste testemunho. Quis apenas colaborar, Rosa Ambrósio, ajudá-la a se conhecer, não sou juiz mas testemunha, você é quem vai dar o parecer sobre si mesma e ainda assim, não será um parecer definitivo. Salvo Melhor Juízo, eu escrevia no final dos pareceres nos processos que estudava, S. M. J. Salvo Melhor Juízo.

Adeus, Zelinda, eu digo. Ela se afasta da minha lembrança num voo de pássaro que quer apenas se juntar aos outros na grande copa da árvore da praça. Adeus minha praça que ainda não morreu mas é como se tivesse morrido. Na mais velha das árvores — aquela ali? deponho a minha cruz, posso? Essa cruz ainda vai voltar um dia, essa cruz da procissão da memória eu sei, mas agora estou livre dela. As testemunhas voltaram aos seus ninhos, a copa aqui da árvore está fervilhante. Sigo pela alameda cambaleando um pouco mas leve. Chego até a calçada. As pessoas — tantas — me olham ou não olham e passam, preocupadas com a própria cruz, mas quem quer saber? Sou uma desconhecida pisando na cidade que conheço e desconheço, ninguém vai me puxar pelo braço, bater no meu ombro, Dou um doce se lembrar do meu nome! Nenhum amigo ou inimigo ou primo ou prima, ah, estou contente, vontade de recreio, correr no recreio sem medo, quero a Lili com seus vidrinhos, Califórnia, Lili? Califórnia. E vejo de repente Miguel falando com a voz de Diogo e repetindo o verso de um roqueiro, *Se você for a San Francisco, não deixe de pôr flores no cabelo.* Papoulas? perguntei e ele riu, De preferência.

— Táxi! grito e o táxi para, esse é confortável. E o chofer é gentil, preciso de gentileza e ele adivinhou, conhece a rua.

— Trabalhei num ponto desse bairro, todas as ruas têm nome de passarinho. Deixei por lá muito freguês.

No painel do carro, nenhuma proibição.

— Posso fumar?

— Pode sim, eu também fumo, dona. Pretendo deixar mas ainda não chegou o dia.

Ainda não chegou o dia, hein?! Quero rir mas estou séria quando pergunto à Lili se ela não acha que estamos maduras demais para essa viagem. Ela sacode a cabeça, Ah, que ideia, querida! Vamos conhecer de perto um californiano grandalhão, bem-humorado. De perto? Você está doida, Lili? De manhã eles acordam antes de nós e ficam nos examinando ainda na cama, avaliando e fazendo seus cálculos, Mas afinal quantos anos terá essa vacona? *Okey,* cinquenta, cinquenta e cinco? Vagas aproximações, dirá a Lili fazendo a boquinha de trinta e oito. Fico fumando e sonhando nas nuvens estacionadas, brancas, hoje não há conspiração. E Ananta, hein?! Lili acha que ela está feliz, em algum lugar e feliz, Lili feliz também com suas bonitas pernas ainda firmes. Tomo sua mão, não quero magoá-la e por isso falo com cuidado, Mas lá detestam os velhos, querida. Metem todos em asilos, aquelas simpáticas moradas de repouso, com pátio, jardim, algumas têm até capelas que os velhinhos gostam de rezar, cantar. E estamos meio velhas, queridinha, alta velhice. Ah, não é velhice, é maturidade? Alta maturidade!

— Este bairro é bonito. Eu tinha um freguês que morava um pouco adiante, um senhor aposentado muito distinto. Viajou, disse que queria morrer sozinho lá na terra dele, é português.

— Se esconde para morrer feito os elefantes. Uma amiga que é analista também se escondeu mas acho que foi para viver, ela é jovem. Abro o vidro da janela. É o jeito.

— Vou deixar com a senhora um cartão, quando precisar... A passarinhada está animada, gosto de ouvir passarinho, fui criado num sítio.

— Eles cantam demais. E só reconheço o Bem-Te-Vi porque ele grita, Bem-Te-Vi! A gente pode cobrir a cabeça e ele descobre e fica gritando, Bem-Te-Vi! Bem-Te-Vi!

14

O delegado da Delegacia de Pessoas Desaparecidas estava tomando café. Renato Medrado parou a uma certa distância da mesa e ficou olhando o homem de meia-idade, pescoço curto, a cabeleira cingindo como um capacete prateado a cara redonda. O blazer azul-marinho era largo demais para o corpo franzino que sustentava a cabeça poderosa. Com um gesto brando ele afrouxou o colarinho. A gravata vermelha deslocou-se. Estendeu a mão até o bolsinho do blazer para se certificar de que o lenço de seda ainda estava ali. Atendeu o telefone que tocava entre dois outros aparelhos na mesa de rodinhas. Recuou para a parede a cadeira giratória, precisava de mais espaço.

Sala limpa de um delegado que cuidava da aparência, o tapete era novo. E o conjunto do sofá com as poltronas cobertas de um plástico imitando couro, fora restaurado recentemente. Na mesinha do conjunto, o cinzeiro de cerâmica em cima de um exemplar do *Diário Oficial*. No alto da parede branca, o relógio em forma de oito entre o retrato de Ruy Barbosa e de um velho de fraque segurando um livro na altura do coração. Essa metade da sala com o arquivo ao longo da parede estava em ordem, a desordem concentrara-se no canto oposto onde ficava a mesa do delegado que tinha a missão de ordenar e proteger as pessoas desprotegidas e desordenadas, ovelhas que se desgarram do rebanho e obrigam o pastor a correr por vales, montes e rios tocando aquela corneta — não, não é uma corneta, corrigiu o visitante. Tinham outro nome os cornos por onde os pastores sopram, o som é remoto. Desolado. A verificar, decidiu ele desfranzindo a testa.

— Sim, sim?... — ia repetindo o delegado ao telefone, a outra mão tamborilando mansamente na mesa de tampo de vidro com as pilhas de processos de capa cor de laranja desabando sobre formulários e cartas que se entranhavam no labirinto dos vãos. Pequenos lembretes escapavam dos clipes niquelados. Um Código Penal aberto. Dominando o caos, o grande tinteiro de prata com o clássico símbolo da mulher de porte heroico, representando a Justiça. Olhos vendados. Na mão direita a Balança e na esquerda a Espada. Ou a Balança estava na mão esquerda? Os detalhes. Eram nesses pormenores que Renato Medrado se deixava emaranhar com certa volúpia. Achou especialmente elegante a caneta de prata lavrada repousando na metade de uma concha entre os tinteiros sem tampa, a marca de tinta ressequida escurecendo o fundo.

A voz do delegado era calma, Sim?... Antes de repetir mais um Sim?, suspirou. Empurrou a xícara vazia em cima da agenda e folheou com gesto distraído o maçarote de papéis nas mandíbulas desgastadas de um prendedor de madeira do feitio de um prendedor de roupas. Unhas bem tratadas, com uma leve camada de verniz transparente. No dedo anular, a aliança e o pomposo anel de grau com o rubi entre os diamantes.

Pela fresta da porta via-se o corredor por onde passavam e repassavam os interessados tratando com os funcionários, tudo tenso. Inquietante. A funcionária loura desfez-se do cigarro e entrou trazendo um envelope-ofício. Cumprimentou o delegado que a encarou em silêncio. Saiu rebolante da sala. O perfume da melhor qualidade, ao contrário do vestido estampado e das sandálias brancas. Uma loura artificial, bonitinha mas de baixa extração, assim a qualificaria Sherlock Holmes se ele estivesse aqui em meu lugar, concluiu Renato Medrado. Um Sherlock procurando pela prima que desapareceu.

— Fique tranquilo, vou providenciar — despediu-se o delegado ao deixar o fone no gancho. Suspirou prolongadamente. O olhar mortiço fixou-se no envelope que a secretária deixara ao lado do prendedor atochado.

Secretária e amante, o olhar que trocaram lá podia ser profissional? E Renato Medrado voltou para o delegado a cara lisa.

— Sem querer tomar muito o seu tempo, doutor...

— Faz favor, aproxime-se — convidou o delegado apanhando o cartão de visita que descobriu em meio da papelada. Olhou o cartão e o jovem alto, um pouco arcado, de colete. Óculos. Sente-se, doutor, disse indicando a cadeira de palhinha. Um dos aparelhos desatou a tocar. Ele recuou para o lado e apertou duas vezes a campainha embutida na parede. O telefone silenciou. Voltou-se para o visitante com expressão resignada. Sim senhor. É advogado.

— Formado há pouco tempo, doutor.

— Estou vendo, é muito moço. Largo de São Francisco?

— Exato.

— Também me formei lá. E o meu avô e o meu pai, três gerações. Do meu pai ganhei este tinteiro — disse estendendo a mão até tocar na face da Justiça. A voz ficou mais suave. — Que foi do meu avô, professor Malta Rezende. Jurista. Escreveu um tratado notável, Investigação de Paternidade, já ouviu falar?

— Já. Mas confesso que não li. Por acaso é aquele ali do retrato?

— Acertou. Dele recebo a minha inspiração, dele e do Ruy. Cheguei a decorar a Oração aos Moços.

— Também já li. Uma obra-prima.

— Largo de São Francisco — suspirou o delegado com nostalgia. —Apesar de tudo ainda é a melhor Faculdade do Brasil. Quando meu avô estudou lá, a escola funcionava no antigo casarão do convento franciscano, meu pai ainda alcançou as verdadeiras arcadas mas quando entrei, já tinham reformado tudo. Completei sessenta anos, meu jovem, sessentão!

— Em ótima forma — atalhou-o Renato Medrado tirando do bolso o maço de cigarros. Ofereceu ao delegado que recusou com um movimento um tanto brusco. Renato Medrado baixou o olhar para o maço. — Sem querer ser indiscreto, desde quando o senhor deixou de fumar?

O delegado aproximou do fumante o cinzeiro que desenfurnou debaixo de um processo. Teve uma expressão divertida ao esfregar as mãos de dedos amarelecidos pela nicotina.

— O senhor é bom observador. Meu coração me deu um susto, começou a pifar. Não fumo, não bebo, parei de jogar tênis mas faço as outras coisas.

— Acredito. — Acompanhou o sorriso malicioso do delegado e guardou os cigarros. — Fumo depois.

— Mas não, fume à vontade, gosto de sentir ao menos o cheiro. A minha mulher fuma.

A mulher e a secretária que atirou a ponta de cigarro na caixeta metálica junto ao rodapé da porta. E Renato Medrado soprou a fumaça para o chão, ficou sério.

— Mas doutor, tomei a liberdade de vir aqui me aconselhar com o senhor.

— Sim?

— É sobre o desaparecimento da minha prima. Prima longe, nossas mães eram primas em segundo grau mas acho que sou o único parente vivo que restou, nossa família era pequena. Brincamos quando crianças, temos a mesma idade, trinta e um anos. Chama-se Ananta Medrado.

— Há quanto tempo ela desapareceu?

— Há cerca de um mês.

— Um mês?

— Exato. Mas já tomei todas as providências, a parte burocrática foi cumprida inteirinha, fui ao Distrito Policial, fiz o Boletim de Ocorrências, conversei mais de uma vez com o chefe da equipe de investigadores, todo mundo querendo ajudar. A parte pior foi a dos hospitais e necrotérios, aquela *via-crucis*... Examinei dezenas de fotografias de acidentadas, de assassinadas, confesso que no fim já era impossível dizer se um daqueles corpos em decomposição e estourando de inchaço podia ter sido o da minha prima, uma moça tão delicada. Tudo em vão. Nenhuma pista, nada até este momento. Falei com seus amigos, com alguns dos seus clientes...

— Casada?

— Solteira. Médica. Fomos a muitas festinhas de aniversário mas exagerei quando disse que brincamos juntos, ela era de uma timidez incrível. Quando meus pais se mudaram do bairro das Perdizes para os Campos Elísios nos perdemos completamente de vista. Me lembro que recebi seu convite de formatura dois anos antes da minha, era uma menina precoce. Mas rompi meu noivado, nessa época andava infeliz. Não fui.

— Tinha algum vício? Álcool, drogas? Viciada em anfetaminas?

— Nenhum vício. Tudo indica que era uma moça comportadíssima, daquele tipo de intelectual que tem dinheiro mas se veste com simplicidade. Bom apartamento, bom carro mas usava pouco o carro, preferia andar, gostava muito de andar. Era analista. Atendia os pacientes em casa e dormia cedo, acordava cedo. Examinei sua agenda, os pacientes não eram muitos mas ela também ajudava aí numa Delegacia de Defesa da Mulher, era feminista. Não tem inimigos aparentemente, todos falam bem dela.

— Como soube? Do desaparecimento.

— A Flávia me avisou, uma psicóloga que é a sua melhor

amiga. As duas trabalham nesses movimentos de mulheres mas não me parecem do tipo agressivo, dão assistência jurídico-familiar ao mulherio carente. E como tem carentes, o senhor já reparou? As mulheres estão parecendo esses passarinhos que sempre viveram em gaiolas e quando a gente abre a porta, começam a sair tão estonteados...

— Como foi que essa amiga soube?

Renato Medrado demorou para responder, detestava perguntas e há mais de um mês não saía do caracol inquiridor. Concentrou-se.

— Bem, vamos pelo princípio. Na quinta-feira esse grupo de moças marcou uma reunião de trabalho na sede, um casarão na Avenida Paulista que vai ser demolido. A reunião estava marcada para as sete da noite, Ananta chegou com seu carro pouco antes das sete horas. Deixou o carro no pátio com o manobrista e ficou de pé no fundo da sala que estava cheia. Flávia e ela trocaram sinais de longe, ficaram de se encontrar na hora do café, seria servido um café com bolo depois da reunião. Às nove e meia terminou a reunião, Flávia procurou por ela. Não foi mais vista. No dia seguinte, uma sexta-feira a empregada telefonou para Flávia, a moça estava preocupada, nunca a patroa tinha dormido fora. O carro, um Gol ainda novo estava na garagem do edifício.

— Sim. E essa empregada não viu quando ela deixou o carro na garagem e entrou?

— A empregada não dorme no emprego. Assim que Ananta saiu, ela saiu também, só voltou no dia seguinte de manhã.

— Compreendo. Mas o edifício tem um porteiro, certo? Quando ela deixou o carro na noite ou na madrugada dessa quinta-feira, ele deve ter visto.

— O porteiro não viu nada, era uma noite fria e o homem recolheu-se mais cedo, estava gripado. Mora com a família no primeiro andar, a mulher e um filhinho doente, gripe pneumônica. E por uma dessas coincidências o porteiro da noite também faltou, a gripe.

— Uma epidemia — suspirou o delegado. — Quer dizer que ela saiu para a tal reunião. Quando voltou, deixou o carro na garagem, saiu de novo. E ninguém viu.

— Dessa vez, ninguém.

— Compreendo. Namorados? amantes?...

— Aí é que está o mistério. Segundo Flávia e alguns depoimentos que andei colhendo, Ananta era uma pessoa muito solitária, não tinha nenhum homem. E se calhar, há de ver que era virgem. Tinha alguns amigos e parecia dedicadíssima ao seu trabalho de analista mas quanto ao sexo, nenhum sinal. Trinta e um anos e virgem. Coisa rara, não acha doutor? doutor?...

— Leon. Leon Marx de Rezende. Meu pai era um comunista romântico, deu aos três filhos nomes tirados da Revolução Russa, meu irmão mais velho chamava-se Karl, ficou sendo Karlos, esse morreu. O caçula é o Lenine mas vigorou o apelido, Nino. Corretor. Sabe que ficou rico o danado? O único que não quis estudar, acho que nunca leu um livro até o fim. Enriqueceu. Advocacia também pode dar dinheiro, qual é a sua especialidade?

— Advocacia criminal. Mas gostaria de ser um escritor policial. É o meu sonho. Se não tivesse que ganhar dinheiro, confesso que largava tudo e ia só escrever.

— E o senhor é bom observador. Quando moço, eu também tive umas ilusões, gostava muito de ler autores policiais. Os mais antigos.

— Pois também prefiro esses mais tradicionais, Conan Doyle, Ellery Queen, a velha Agatha Christie que é genial. Meu companheiro de escritório, o Guido Mariani prefere Edgar Poe e Lovecraft...

— Lovecraft?

— Sim, parece que esse e o Poe foram a fonte de tudo o que veio em seguida. Ando curtindo Poe mas não aguento o outro que é demais sinistro, me deprime. Vai e descobre! Pena que não dá dinheiro.

— Mais vale um gosto do que seis vinténs — lembrou o

delegado vagando o olhar pela mesa tormentosa. Depois de quanto tempo essa amiga avisou? Do desaparecimento.

— Vamos ver, na sexta-feira a empregada deu o alarme. Flávia esperou chegar o domingo. Ananta ainda sumida, nem carta, nem bilhete ou qualquer palavra que pudesse explicar esse sumiço. Então ela foi telefonando aos Medrados da lista telefônica até chegar a minha vez. Eu me preparava para meu cooper, passava do meio-dia.

— Sim, sim... Sua prima era ajuizada mas independente. E se resolveu viajar sem participar a ninguém, assim na moita? Às vezes as pessoas muito quietas têm esses impulsos, não dão satisfações, fazem planos secretos.

— Mas sem levar ao menos uma valise? As malas estão todas lá, segundo a empregada. Não levou nenhuma peça de roupa. Fui ao banco e verifiquei, nenhuma quantia foi sacada nesse período de tempo.

— Não tinha joias? Dólares?

— Não usava joias, se tem alguma deve estar no cofre particular do banco, aluga um cofre. Dólar, não sei dizer. O carro continua sendo usado por Flávia, as duas dividiam muita coisa, é ela quem está pagando a empregada para manter o apartamento limpo.

— Compreendo. E essa amiga Flávia?

— Uma boa moça... Brinco com ela, é psicóloga e por isso vai me esclarecer a psicologia do desaparecimento. Uma maçada, doutor Leon. E daqui a dois dias tenho que começar a trabalhar no meu novo escritório, Guido e eu alugamos uma sala perto do Fórum que estava sendo reformada mas já ficou pronta.

— É muito bom ter o escritório perto do Fórum.

A servente entrou com a bandeja de café. O delegado estendeu a mão que traçou no ar um movimento de onda. Tocou na garrafa térmica mas deixou que a mulher despejasse o café nas xícaras.

— Com açúcar, doutor? Vamos lá, metódica. Comportamento exemplar. Sabia que os desaparecidos exemplares são mais difíceis do que os desregrados? Nos desaparecidos exemplares a gente não tem por onde pegar, tudo certinho, nenhum *tropezón*... Um *tropezón*, repetiu e riu. É um velho tango, gosto de tangos. Tem algum retrato dela?

Renato Medrado apalpou os bolsos.

— Que maçada! deixei tudo no outro paletó mas lembro que ela fugia dos retratos nas festinhas. Pois sabe que não encontrei também nenhum retrato lá no seu apartamento? Foi a Flávia que me cedeu alguns instantâneos, não era uma criança bonita e não ficou bonita depois de moça. Nos aniversários a gente avançava nas mesas de doces, disputávamos os brinquedos a tapa e ela de lado, olhando assustada. Magrinha, tímida. Roía as unhas. Flávia disse que agora não rói mais e que tem muito senso de humor, que é engraçada às vezes. Mas sem a menor vaidade, nenhuma pintura. Vivia despojada como uma monja. Gostava muito de música.

— Gostava. O senhor fala como se ela já tivesse morrido.

— Mas não é como se estivesse morta? — reagiu Renato com energia. Engasgou no café. Limpou a boca no lenço. — Desapareceu sem deixar o menor rastro...

— Todos costumam falar dos seus ausentes no passado, é natural — atalhou o delegado com brandura. — Se a ausência se prolonga vem a suspeita da morte — acrescentou e a palavra *morte* coincidiu com a última gota de adoçante que pingou na própria xícara. Mexeu o café. — Sabe o senhor quantas pessoas desaparecem por mês na Grande São Paulo? Quase mil. E por que uma pessoa desaparece? São tantas as causas, só por *morte* violenta a relação é enorme, já calculou o número de desastres? De homicídios. Suicídios. A família dá a queixa e de repente, bumba! o corpo é encontrado. Ou a ossada, uma trabalheira. Esteve no Instituto Médico-Legal?

— Foi o primeiro da minha lista. Uma visita inesquecível — murmurou Renato Medrado franzindo a boca. Pediu licença para fumar mais um cigarro. — Saí de lá com cheiro de formol até nos cabelos, durante semanas não podia nem ver carne.

— Sou vegetariano — apressou-se em dizer o delegado. Com as pontas dos dedos, ficou fazendo um movimento caricioso no lábio inferior. — São tantos os motivos que levam uma pessoa a abandonar o domicílio sem dar satisfações do destino que tomou. Na maioria das vezes é para fugir de uma situação difícil, uma dívida. O tipo se sente prensado, encalacrado e dá aquela angústia, a solução é fugir. Um caso de amor impossível também aciona qualquer um, principalmente os muito jovens. Ou os velhos. Ficam doidos, fogem com o amor e se escondem tão bem às vezes que não aparecem nem na morte. Têm ainda os fujões que querem ficar sozinhos, livres para o vício, aqueles viciados crônicos. E o mundo dos débeis mentais? dos mentecaptos que saem de casa e ficam banzando pelas cidades, pelas estradas. Acontece ainda a perda da memória, o tipo vai fazer uma compra e assim que dobra a esquina, a amnésia, esqueceu até o nome. A morte natural na rua também complica se o morto está sem documentos, sabe se sua prima levou os documentos?

— Deve ter levado, não saía sem eles.

— Sim, sim... Era lésbica?

Renato Medrado encarou o delegado. Pensou um pouco.

— Não, não era lésbica. Não tinha homens mas também não tinha mulheres, andei sondando os amigos, a empregada, eu teria sentido qualquer coisa no ar, acho que não é por aí. Não existe gente neutra?

— É raro. Mas existe — suspirou o delegado olhando o teto com expressão martirizada. — Existe de tudo, doutor, de tudo — repetiu e voltou a acariciar o lábio. — Antigamente as moças costumavam escrever nos seus diários. Quando esses diários eram achados era uma beleza, as coisas ficavam mais fáceis.

— Foi encontrada apenas a agenda na gaveta. Consultas marcadas, observações sobre pacientes. Rotina. Agiu normalmente antes de sair para a reunião de quinta-feira. Recebeu três pacientes nessa tarde, a última foi uma vizinha do quarto andar que é atriz, Rosa Ambrósio, o senhor conhece? Assim que ela saiu com seu gato, Ananta fez uma refeição ligeira mas vestida como sempre, nenhuma novidade. Foi a última vez que foi vista no edifício. Quando voltou e saiu de novo ou não saiu...

— Um momento, o senhor disse quando saiu de novo ou não saiu. Como não saiu?

Renato Medrado ficou alisando o bigode. Deteve o olhar no tinteiro. Meio distraidamente percorreu a carta-ofício que a funcionária deixou na mesa, tinha o timbre da Secretaria da Segurança Pública.

— Modos de dizer, doutor, gosto de ir e vir no meu trapézio de ideias, é lógico que ela saiu. Se não saiu, ficou empalada numa daquelas paredes do apartamento mas esse já é um conto de terror — acrescentou e recolheu o sorriso. — Se não saiu alguém a levou.

— Sequestro?

— Ah, doutor Leon, se fosse sequestro já teria pintado algum sinal. E depois, por que sequestrar Ananta Medrado? Moça discreta, vida discreta. O apartamento é excelente mas mobiliado sem a menor ostentação, o que vi lá de mais importante foi uma velha tapeçaria da família que sempre esteve na casa dos meus avós nos Campos Elísios, me lembro que essa tapeçaria me dava um medo danado com sua floresta que parecia esconder monstros. E depois de tanto tempo vou encontrar a antiguidade dependurada no escritório de Ananta e bem menor do que eu imaginava. Como foi parar lá, é mais um mistério. Não, sequestro, não...

— Mas ela lidava com gente muito esquisita, certo? Não seria por dinheiro mas doidice, algum maníaco que desapareceu com a moça. E na verdade, ninguém desaparece.

— Não?

O delegado entrelaçou as mãos sobre a mesa. Ficou olhando as próprias mãos.

— Não. Ninguém desaparece. Ninguém. Se o desaparecido morreu o corpo tem que estar necessariamente em algum lugar, certo? Então não desapareceu, apenas o corpo é que não foi encontrado. Se o desaparecido está vivo mas em lugar não sabido, na realidade ele também não desapareceu, está em local ignorado por nós, incerto para todos mas para ele, certíssimo. Veja, doutor, dei tantos motivos que levam uma pessoa a desaparecer, como se diz. E não falei num motivo tão simples que é não ter motivo algum, o tipo quer apenas ser feliz. Em outra cidade. Em outro país. Saiu mas não diz que saiu, seu prazer secreto é atormentar os que ficam na dúvida. É o jeito que achou de se vingar — acrescentou e foi estendendo o sorriso. Bateu de repente o punho na mesa. — E a política? Esses movimentos feministas estão sempre se rebelando contra o sistema, ela é da esquerda?

— Sem dúvida. O senhor está pensando nos desaparecidos entre aspas? Não sei não, doutor, mas a prima não tinha maior importância política, não estaria nunca na relação dos torturados e apagados. Numa colmeia, seria a abelha-operária, eficiente e obscura. Mas gostei muito do que o senhor disse, quando eu voltar a escrever, se voltar... Eu tinha começado uma novela onde o homem é assassinado num quarto absolutamente fechado, sem janelas, trancadíssimo, o único buraco é o da fechadura...

— E nele foi introduzida uma abelha africana — começou o delegado desentrelaçando as mãos. Riu baixinho e prosseguiu num tom de voz tão apagada que o outro teve que se inclinar para ouvir. — Veja a minha sobrinha, a Danares. Menina bonita, nem quinze anos. Foi nadar com as coleguinhas no Rio Piracicaba, nadava muito bem. Um domingo bonito, o rio rolando calmo. Afastou-se um pouco dos outros que ficaram vendo sua cabecinha avançar na água espumosa. Nenhum gesto de cansaço, nadava firme. Desviou-se para o meio do rio ao contornar uma pedra maior, tinha pedras naquele trecho, ficaram esperando que ela reaparecesse além da pedra que não estava muito longe do grupo. Não apareceu mais, sumiu ali mesmo diante de todos. Reviramos o rio, a cidade, as redondezas. Nada. Se morreu, o cadáver não foi encontrado, é como se tivesse virado espuma. Meu irmão Karlos quase ficou louco, acho que começaram aí os problemas cardíacos. Até hoje a pobre da minha cunhada não se recuperou, vive às voltas com cartomantes, videntes. Já foi a macumbas, centros espíritas, o diabo! Danares se encarnava às vezes no médium para avisar que tinha morrido afogada. Outras vezes vinha um espírito otimista e dava esperança, que ela estava viva e bem-disposta e que ia voltar logo. Um ano depois foi vista na Rodoviária de Ribeirão Preto, a colega de escola comprava um bilhete quando deu com Danares no balcão do café tomando um guaraná. Danares! ela chamou mas assim que recebeu o troco do bilhete e olhou de novo Danares já estava embarcando num daqueles ônibus, viu quando a amiga subiu a escadinha. Chegou a correr feito louca atrás do ônibus, gritando pelo seu nome, o homem do café até se lembra da mocinha. Mandei investigar, nada. Nada. E os telefonemas então? Telefonemas de anônimos, de gente que se identificava, até um primo fazendeiro em Goiás telefonou altas horas da noite para dizer à minha cunhada que tinha acabado de ver a Danares no aeroporto de Curitiba, era ela, sem dúvida que era ela, tomava um avião para São Paulo em companhia de um homem de meia-idade, com uma pasta preta. Alarme falso, seu nome não constava em nenhuma lista de passageiros, ninguém se lembrava do casal. Alguns meses depois, num baile de Carnaval em Presidente Prudente, foi vista dançando muito satisfeita, fantasiada de havaiana. Mandei meus homens. Até hoje lá está o seu quarto igualzinho ao dia em que saiu para nadar, com a revista que estava lendo aberta na mesa de cabeceira, tudo no mesmo lugar. Mas nem sei por que estou contando isso, um caso puxa o outro, Danares, Ananta. Dois nomes raros.

Renato Medrado levantou-se abrindo os braços.

— Mas tomei demais seu tempo, doutor Leon, estou até encabulado, que maçada!

— Ora, não diga isso, foi um prazer. Suspiro. Veio me pedir um conselho e vai saindo de mãos vazias. Se não me engano, disse que ainda tem mais alguns dias para se dedicar ao caso.

— Exato. Daí, encerro. Eu não gostava dela na nossa infância e hoje penso que seríamos amigos, finalmente amigos.

— Sim, compreendo. Mas volte ao edifício e fale de novo com os empregados, com os vizinhos, de repente pinta alguma coisa. É como uma alcachofra que a gente vai abrindo, tirando uma folha depois da outra até chegar ao miolo. E o miolo só pode estar no apartamento.

— Parece que ela se dava bem com duas vizinhas, o edifício é pequeno, sete andares, um apartamento por andar na mesma coluna, Ananta ocupava o sexto. A moradora do quarto andar é a tal atriz aposentada, Rosa Ambrósio. Era paciente de Ananta, desconfio que tem problemas, alcoolismo. Fazia terapia de apoio. A filha que mora no quinto andar está fazendo um cruzeiro de luxo pelos mares do Sul, parece. São muito ricas. Numa só tarde percorri todos os apartamentos ocupados e desocupados, no terceiro andar morava o secretário particular da atriz. Foi despedido. Ela não quis me receber, mandou dizer que estava indisposta, falei com os empregados. A cobertura do sétimo andar está desocupada, parece que há um problema de goteiras.

— Sim, sim — murmurou o delegado levando as pontas dos dedos ao lábio. — Foi muito bom o senhor ter vindo, eu estava aqui meio tonto, sem saber por onde começar a trabalhar, já viu algo mais tumultuado do que isto? — escandalizou-se apontando a mesa. — Minha secretária andou viajando, só voltou ontem. Ninguém consegue arrumar esta desordem, só ela — suspirou baixando a mão acariciante até a gravata.

— Que bela gravata, doutor Leon.

— O senhor gosta? Presente de um amigo.

— Combina com o pochete.

— Pochete? Que é isso?

— O lenço aí no bolso.

— Chama pochete?

Renato Medrado esfregou as mãos, satisfeito. Quando viu a gravata vermelha, pensou, um presente da secretária rebolante. Que viajou para o exterior, lógico, o perfume era francês. Uma beleza quando as peças vão se ajustando na engrenagem.

— A gravata é francesa?

— Sim, creio que sim — murmurou o homem torcendo-a devagar para ver a etiqueta. — Francesa.

— Quando o meu casamento dançou, em vez da geladeira acabei comprando uma passagem para Paris. Dias inesquecíveis! Estavam na moda esses pochetes, bolso em francês é *poche*, o senhor sabe. E o lenço de bolso que acompanha a gravata...

— Pochete. Imagina — surpreendeu-se o delegado. — Pois disponha, doutor. Por aqui, as coisas vão seguindo seu curso dentro das bitolas, qualquer novidade e será imediatamente avisado. Se por acaso souber também de alguma coisa, nos comunique, já notei que tem um bom faro. Apareça quando quiser, doutor, seja feliz.

15

Enfim, aconteceu. Estou tão emocionada que nem consigo botar a cabeça e o resto em ordem e não bebi uma gota, inquietação pura. Desassossego. Então liguei este gravador e resolvi ir falando o que me der vontade de falar e este será um capítulo das memórias que estou começando agora, atenção, *Carpe Diem!*, disse o Gregório e eu perguntei, O que quer dizer? Rahul tinha pulado na mesa e se esfregava nele, tinha paixão pelo Gregório, todos tinham paixão pelo Gregório. Com a ponta da espátula acariciou a cabeça do gato para acalmá-lo, só ele sabia acalmar esse gato quando entrava em crise. Então respondeu, Colha o dia!

Colha o dia! repeti e desviei depressa o olhar, suas mãos tremiam demais nessa manhã e fiquei aflita, com medo que ele descobrisse o que descobri. E me lembro agora de um caso tão estranho que me contou, o caso do rio-assassino que rejeitava uma certa espécie de peixe, não queria esse peixe em suas águas. E o pobre peixe se abraçando desesperadamente à água que o expulsava, que o cuspia para a terra. Os peixes expatriados. Que precisavam lutar com mais empenho do que os outros para a sobrevivência humilhante nas margens turvas, lá no fundo turvo do rio inimigo. Os peixes exilados. Na manhã em que ele foi embora debaixo daquela organza tolamente disfarçante pensei de repente nessa história terrível que um amigo lhe contou quando esteve exilado na França e daí comecei a chorar aos gritos porque vi nele o peixe cinza-descamado dentro da rede lilás. Na minha tonteira nem percebi que ele ligara essa história à sua própria história, era o peixe que o sistema-rio perseguiu e torturou com desvairado rancor até empurrar para a margem. Marginalizado até a morte.

Uma história tão pungente e só me lembrei dela quando vi sua cara cinzenta, esvaziada, ali estava ele de boca entreaberta, enquanto o rio prosseguia com toda sua força, Ah! seus filhos da puta! Onde estão vocês agora que não aparecem para vir ver o que fizeram?!...

Já estou entrando nas veredas e quem deve estar numa é a pequena Ananta que saiu e não voltou, desapareceu. Um primo está investigando, veio falar comigo mas não recebi o moço, que sei eu da minha analista que se especializou na técnica do silêncio, hein?!... Vai ver arranjou um amor, viajou e escapou dessa sua rotina besta, deve estar melhor do que nós, Colha o dia!

Carpe Diem! ele disse meio distraidamente, *O* meu querido com suas mãos que tremiam tanto, comecei a falar para distraí-lo, falar de pura aflição tudo o que me veio à cabeça para distraí-lo — ou me distrair? Aqueles meus pequenos discursos, que os pensamentos em latim criam raízes, cavados na pedra. Gravados no tempo, a minha Igreja era em latim e agora ficou popular, traduziram tudo, mudaram tudo, lamentei e Gregório ouvia com certo interesse as minhas bobagens, só bobagens. E ele com sua paciência e suas belas mãos já escondidas nos bolsos.

Mas ainda não é bem isso que eu queria dizer, calma, Rosa Ambrósio, não misture as coisas, fique calma, você começou anunciando que aconteceu afinal o que tanto esperou, o que tanto pediu, o Diogo telefonou.

Vou agora impostar a voz que está ficando meio esganiçada, na emoção maior ela fica assim, tenho que usá-la e não ser usada por ela, domínio absoluto! Gregório disse tantas vezes que minha voz é bonita quando fica natural, estou natural. E com a voz que ele amava quero repetir aqui neste gravador, o Diogo vai voltar. Falou com Dionísia, perguntou por mim mas não quis que ela me chamasse, Agora não, pediu e desligou.

Ele está voltando. Sem a menor pressa, no estilo que faz lembrar o Rahul quando finge que não quer comer e então disfarça. Mas assim que se pilha sozinho, come vorazmente. E mesmo quando está sozinho é dissimulado, como se na vasilha não estivesse a carne moída mas a presa ainda viva. É o jeito dos felinos, mas se ele telefonou é porque vai voltar e a volta começou no instante em que ligou e pediu notícias. Quando a Diú me falou sobre o telefonema não deu muita importância, foi como se informasse, Hoje é Lua Nova. Entrei na farsa e fiz aquela cara ausente, Ah, ele telefonou?

A Ópera dos Farsantes. Mas assim que ela se afastou virei o último gole de vodca e corri para uma ducha violenta, *Carpe Diem!* ordenei aos espelhos, a colheita imediata, Ação direta! ordenam os terroristas. Voltei aos cremes e às saunas, tirei dos armários meus vestidos brancos, tenho que estar pronta porque hoje ou amanhã ou daqui a um mês. Ou um ano. Ele vai voltar.

Esperar é ter esperança? Chamei a Tiva, retoque nos cabelos, unhas claras e sem manchas, nenhuma mancha nem por dentro nem por fora, os dentes brancos, chamei Diú e resolvi tirar a máscara da soberba, Mas quem acredita?, perguntei. Nessa indiferença, hein?!... Fui ao quarto da Diú, o rádio ligado numa música sertaneja, abracei-a com força e rodopiamos num rodopio sertanejo, ela rindo contente, eu rindo, Vida Nova! ordenei e pedi um café novo. Sinta meu hálito. Diú, está pesado? Respondeu que era hálito de pasta de dente com perfume de hortelã. Atirei-me rindo numa cadeira e só então ela teve tempo de estranhar, mas por que esse escândalo todo se ele só telefonou, se ele não disse que vinha.

Mas vem. Fui ao escritório e acendi o incenso e liguei o toca-discos ainda com o disco que ele lá deixou, o saxofonista Bird que eu detestava e que passei a amar. Experimentei as canetas, uma de cada cor, escrever? Ainda não, escrever ainda não consigo, estou excitada, tinindo, por enquanto só posso falar, é o que estou fazendo enquanto colho o dia quente como este café. Começo pelo registro anunciando que ele vai voltar e vai recomeçar tudo de novo, vou me arrepender e desarrepender e mil vezes hei de descer aos infernos mas esteja enleada com demônios ou pairando nos ombros de anjos quero ficar repetindo que acho a solidão repelente, foi horrível quando Gregório partiu. Depois, foi a vez de Diogo, Adeus, Rosa. Sem falar em Miguel que saiu antes de todos, penso às vezes numa coisa que só tenho coragem de dizer aqui neste gravador, livre, sozinha: me agarrei em Diogo porque vi nele o Miguel? Não, não pode ser isso, necrofilia, não!

Rosa Rosae. Um momento, vou abrir a janela, ah! olha o fogaréu no meio das nuvens, Eu te amo, Sol, dizia o amado São Francisco cravando no sol redondo os olhos redondos, cozidos de tanto amor. Aceito o cozimento e o resto, vou ouvir coisas terríveis e coisas lindas e vou ser exaltada e humilhada quando ele me obrigar a aceitar papéis que abomino, mas que cumprirei até à última lágrima. Sei que é um puta clichê este mas a solidão é insuportável nesta encrenca dos diabos que é a vida, o mundo. O homem precisa sim do outro porque mesmo atormentando e atormentado exige se olhar no espelho mais próximo que é a sua medida. Ora, a fidelidade! Fidelidade é qualidade de cachorro, ele disse rindo e latindo, Au! au! E miou em seguida quando o Rahul se assustou e veio ver o que estava acontecendo, Miau!

Disse que teve que lavar latrinas e abominou esse tempo em que lavou as latrinas de um batalhão inteiro, tinha dezenas delas. Não contestei na hora porque minhas reações são lentas mas fiquei pensando onde ele teria lavado essas latrinas se nasceu depois da guerra. E só na guerra circulava o sargento complexado que se vingava dos recrutas bonitões mandando que eles fizessem os serviços mais sujos. Fantasioso o meu menino, meu menino Diogo, não tem importância, eu também sou fantasiosa, dois fantasiosos cheios de fantasia.

Abro a bolsa e a vida, Leva o que quiser, querido. Caixão não tem gaveta, lembra? Ana Grana deixou fazendas, casas, carros. Deixou até uma harpa dourada ao morrer segurando um pequeno terço de vidro. Sozinha. Toma meu copo, mas não toma meu corpo que esse não te merece, Não é modéstia não que esse tempo também passou. Fiz as pazes com meu corpo porque fiquei com pena dele, faz o que pode para me agradar, para corresponder, consegue? Fico comovida, tantos anos de luta, quase sessenta e esse corpo ainda de pé, perdendo um pouco o equilíbrio mas de pé o pobrezinho. Estou quase chorando de emoção mas reconheço que é um corpo ligeiramente fatigado, hein?! Deixa ele quieto, deite-se com suas meninas de peitinhos duros e bundinha dura que prometo não interferir mais, quero apenas a sua companhia, entendeu, Diogo? A sua fala, o seu riso, a sua graça. A sua música e a sua angústia, quero também essa angústia e quem sabe te distraio com aquelas piruetas, hein?!...

Amante-irmão. Bebo um gole do sumo de frutas que a Diú veio trazer, parece mais intrigada do que preocupada. E essa moça que ainda não voltou, coisa mais esquisita! resmungou e se benzeu. Quer saber se na nossa última sessão Ananta não disse alguma coisa que pudesse explicar o sumiço. Ficamos pensando juntas. Não, querida. Não disse nada, falava pouco mas estava bem, os olhos — tinha os olhos bonitos, até que estavam mais brilhantes. Antes da viagem Cordélia também ficou perguntando e só me lembro de que ela disse isso, que estava providenciando a minha transferência para um analista seu amigo. Concordei, mas que tal umas férias? Ela ia me empurrando para fora, muito educada mas me empurrando para a rua, teríamos depois uma conversa especial, eu chegara muito atrasada e ela tinha que sair imediatamente. Desci e foi a última vez, hein?! Mas estava feliz a pequena Ananta, vi isso nos seus olhos.

Enfim, chega de Ananta, quero dizer minhas coisas e com tamanha sede de falar tudo aqui nesta fita, descubro agora o que é o mais importante: justamente porque Ananta me faltou é que me levantei capengando e vim fazer este depoimento-capítulo. Se ela não tivesse sumido eu estaria estendida naquele divã ou em algum outro e falando em vão em vão em vão — não é extraordinário? Posso andar sem a muleta, ô meu Pai! eu Vos agradeço de coração leve e penso uma coisa que talvez seja importante, penso que Deus precisa de nós assim como somos, contraditórios, confusos na nossa pureza-impura porque é na desordem que Ele se ordena e nos ordena, é neste caos de afinação-desafinada que Ele se realiza na perfeição.

As traições. E foram tantas, hein?! Não interessa, aprendi que o essencial é estarmos vivos, não tenho mais tempo para ser infeliz. Gregório, aquele sábio, já sabia que a traição faz parte do amor. Faz apodrecer o amor, é claro, mas sem morte e podridão o amor não poderia ressuscitar como Jesus ressuscitou, ah, como estou lúcida, um deslumbramento de lucidez, sem morte não há ressurreição.

Fico mais perto do gravador e da fita virgem gravando este depoimento-virgem, vou falar do meu primeiro amor, parece tão ridículo, uma idiotice mas não interessa o que possa parecer, interessa é a palavra testemunhando este instante, captando o fluido que vem aqui de dentro na minha voz bem timbrada, estou serena. A pronúncia caprichada, nenhum né? e nenhum tá! porque sou uma atriz e uma atriz de classe deve falar bem. Com a altivez de quem interpretou Shakespeare e se prepara para voltar ao palco. Eu vou voltar.

Antes quero ir assim livre no começo do começo, lá longe, quando a Rosa em botão ia colhendo estabanadamente as rosas da manhã, As Rosas da Manhã!, repetia meu pai em voz alta, o livro dos poetas da França debaixo do braço. O romântico paizinho pirado que foi comprar cigarros lá no cu do judas e até hoje, hein?! Depois que ele se foi me lembrei então de procurar esse livro e não encontrei mais nenhum dos seus livros amados, os prediletos ele deve ter levado aos poucos para não despertar suspeitas. Fiz minha descoberta mas não disse nada à mamãe para não magoá-la ainda mais, que fosse capaz de tudo menos do cálculo esse meu pai que tinha o ar distraído, de quem estava pensando em outras coisas mas acho que na verdade estava pensando numa coisa só.

Lia a poesia em francês e depois lia a tradução, gostava de exibir sua pronúncia que afirmava ser impecável, antes de se casar viveu aí com uma francesa que veio fazer a América e teve que suspender suas ambições quando se apaixonou por ele, *Vive sem esperar pelo dia que vem, colhe hoje, desde já, colhe as rosas da vida!*

Colha o dia. E aqui estou sem medo e sem aflição, sou capaz até de lembrar o nome do poeta da colheita mas espera, Vamos pela ordem! dizem aqueles políticos putos. Eu dizia que colhia as flores matinais e depressa antes que viessem as ventanias e as tempestades. Fui armando o meu enorme buquê, fui compondo o arranjo floral a meu modo quando então começaram os imprevistos, os sustos, ah! como fugiam do meu controle as flores que foram murchando, as pétalas que foram caindo. Começaram a aparecer buracos. Mais buracos e o arranjo se desarranjou, perdeu o brilho e eu mesma, hein?! Onde a graça da colhedora da manhã?

Mas agora estou brincando, brincadeira minha, longe de mim qualquer traço de amargor, a última coisa que desejo é virar uma esponja de fel. Pingando aquele fel de ressentimento, horror! quero verter bom humor. Lucidez. Com lucidez quero começar por aquela noite em casa da tia Lucinda, a querida tia Lucinda, irmã da mamãe e casada com o tio André. O lado rico da família. Tio André era médico do Hospital do Juqueri. Na minha ignorante adolescência eu sabia apenas que esse era um lugar de loucos mas achava graça quando papai dizia que tio André era mais louco ainda do que todos aqueles loucos somados. Detestava ver gente e ouvir vozes, detestava cinema, teatro ou qualquer aglomerado. Caía num silêncio mortal se falavam perto dele em política. Não fumava, não bebia e mesmo nas festas comia escondido seu bife bem passado com batatas. Nas crises mais fortes de neurastenia, fechava-se em casa, os loucos chamando e ele tocando violino, gostava de tocar violino. Parecia se entender maravilhosamente com tia Lucinda que era jovial, falante e gostava de festas, assim como a mamãe. Tinham um filho único, o Miguel.

Meu primo Miguel. Miguel, fico chamando e minha voz ficou mel, ficou sol. Mel cálido com uma languidez meio dolorida, escorrendo um tanto difícil pelo tronco áspero, sim, ainda aquela história das feridas que parecem cicatrizadas e basta a gente se aproximar e levantar um pouco o pano e a pele. Morávamos algumas casas adiante da tia Lucinda, a diferença é que não tínhamos jardim nem carro nem quatro empregados e nem aquela lareira vermelha, acesa todo o inverno. A diferença é que éramos pobres.

O meu vago pai arrastava-se num modesto cargo na Prefeitura onde conseguiu com um amigo um vago comissionamento. Na manhã em que saiu sua nomeação, telefonou solidário ao piquete da greve que estava estourando, os servidores municipais exigiam aumento de salário. Você ainda nem começou a trabalhar e já quer aumento, estranhou a mamãe. Papai fez aquela cara de míope que só enxerga quando aperta os olhos e começou a assobiar, assobiava bem.

A luta da mamãe para manter uma aparência decente. O dinheiro curto, vejo-a tantas vezes com aquele lápis, fazendo contas. Contas. Ou mexendo o doce no tacho de cobre, passou a vender a goiabada aos conhecidos do bairro, os pedaços duros como tijolos embrulhados em papel-manteiga. Passei a ter ódio do cheiro da goiaba, só bem mais tarde, depois da herança é que me reconciliei com a fruta e fazia o olhar que ninguém notava quando me ofereciam goiabada com queijo, um olhar de saudade tão mansa. Tínhamos uma órfã que ela tirou do asilo e adotou, assim faziam as famílias da classe média sem dinheiro e que precisavam de uma empregada. Mila chamava a mamãe de Madrinha.

O sobradinho amarelo de três janelas. Me lembro que bonitos eram os vidros das janelas de quadradinhos vermelhos e azuis formando uma cerca em redor do vidro oval transparente, contrastando com o desenho fosco da cegonha de perfil, uma perna encolhida, a outra mergulhada num tanque de folhagens. Sou essa cegonha, disse meu pai com ar sonhador alguns dias antes de sair para comprar seus cigarros. Era divertido brincar de ver a rua nos quadradinhos, o quadrado azul era o céu mas assim que eu passava para o de vidro vermelho, caía no inferno. O portão de ferro com a corrente e o cadeado, me parecia tão alto aquele portão com o caprichoso emaranhado de rosáceas que endureciam de repente e terminavam no alto em pontas de lança. Se a mamãe alugar um dia esse porão e a casa virar um cortiço, eu me mato! avisei num bilhete que deixei na igreja, debaixo da sandália dourada de Santo Expedito.

Lá sei se isto continua gravando, detesto máquina, Um, dois, três!... Alô, alô! tem aqui este botão que vou apertar, pronto, apertei, eu estava dizendo que ela alugou o porão, pobrezinha. Não me matei mas disse ao Miguel que mamãe ficou com pena do Cido Preto e da filharada e por isso deixou que fossem morar lá. Falei num tom esfuziante que ele simulou não ouvir, era generoso demais para ser testemunha da priminha humilhada e escamoteando a humilhação.

Quero deixar bem claro que tio André e tia Lucinda foram os únicos que nos ajudaram nessa época. Tia Ana era muito amorosa mas lidava com milhares de coisas ao mesmo tempo e já não tinha a saúde boa, nos reservava para o testamento. Vejo hoje que era uma feminista exemplar, faria a felicidade da pequena Ananta. Mas ninguém sabia o que era feminismo, nem ela mesma e por isso suas atividades acabaram na relação da caridade, Uma grande dama de caridade, dizia a crônica social. Fundou a Casa da Mãe Solteira, o Lar das Menores Abandonadas e contratou um importante escritório de advocacia para defender as causas perdidas das mocinhas perdidas. Filas de jovens e mães injustiçadas rondando o palacete de tia Ana para pedir justiça. E não saíam de mãos vazias, as mais pobrezinhas ganhavam uma sacola de mantimentos, as doentes saíam com um cartão de recomendação para a Santa Casa de Misericórdia, tia Ana conhecia todos os médicos. As grávidas, em geral meninas que se diziam enganadas pelo noivo, levavam um enxoval completo para o nenê rejeitado pelo pai.

Sei que não se usa mais a palavra *palacete* mas era um palacete a bela morada de tia Ana como era um palacete o de tia Lucinda com seu Chevrolet na garagem e o bando de empregados, sem falar no motorista fardado. O vasto jardim. A salva de prata no vestíbulo e onde eram postos os convites que chegavam em grandes envelopes de linho, eu lançava olhares compridos para esses convites. Olhares compridos para os móveis, quadros, tapetes. Para o primo amado, tão amado! ia o mais terno e comprido dos olhares. Vibrava com a sua inteligência, tremia com sua desobediência, com sua rebeldia cheia de humor, mas é um louco varrido! eu me assustava quando ele aparecia em certas ocasiões com o cabelo indomado e aqueles olhos verdes que ficavam negros como as maçanetas redondas das nossas portas, mas por que os olhos de relva úmida mudavam assim de cor? Então eu tinha medo mas o amor era mais forte do que o medo e comecei a mentir inventando pretextos para vê-lo ainda que por um instante, de relance. Na mentira a minha cara virava uma romã vermelha, lustrosa. Amarelecia no medo, isso na adolescência. Agora fiquei amarela definitivamente, não interessa, ainda estou lá longe com aquele Miguel charmoso e desambicioso. Miguel, o Louro. Miguel, o Breve.

A Segunda Grande Guerra chegava ao fim mas diante dos noticiários delirantes a gente pensava que a coisa ia durar muito mais. Eu frequentava uma modesta escola pública mas sonhava com a Escola de Arte Dramática da atriz portuguesa Maria Jorge. E sonhava com o primo amado tão secretamente que todo mundo em redor já sabia desse amor. Noite de quinta-feira, noite de canja em casa de tia Lucinda. Uma canja muito especial oferecida às sete horas em ponto, tudo para a querida tia era muito especial.

Um momento, um pouco de uísque, ô! delícia. Deixa acender aqui o cigarro, pronto, vamos lá! Um, dois, três... gravando! Eu dizia que naquela quinta-feira deixei a mamãe cerzindo meias com o rádio ligado, estava muito resfriada e lá fui radiante para a casa da tia e sua canja, o céu fervendo de estrelas. Que perfume bom! disse a Mila quando passei por ela, estava no portão conversando com a menina do Cido. E Flor de Maçã, respondi, não a maçã mas a flor.

No jardim já ouvi o violino tremente de tio André. Olhei para o sótão iluminado, era lá que ele se trancava para tocar a Serenata de Schubert. Efigênia me abriu a porta com seu uniforme preto de gola e punhos brancos. Lamentou a ausência da mamãe e informou que minha tia estava acabando de vestir a farda. Farda?!, me espantei e ela riu escondendo a boca, pois então eu não sabia? Alistara-se como Voluntária no Batalhão Feminino da Defesa Passiva Antiaérea. Curso de bombeiros, acrescentou aprumando-se com a maior seriedade. Bombeiros, repeti como um eco. É, bombeiros. Aprendia a apagar incêndios, prestar os primeiros socorros, tarefas assim de utilidade pública. Ah, que ótimo, muito louvável da parte dela, eu disse e ficamos nos olhando. Perdi a expressão idiotizada quando a porta se abriu, levei um susto, o Miguel? Era o novo motorista japonês querendo saber se devia ou não acender a lareira. Efigênia ficou indecisa, será que não estava meio quente para a lareira? Melhor esperar dona Lucinda descer. E será que eu não queria ligar o rádio? Ou ver as revistas estrangeiras, ofereceu ajeitando na mesa de tampo de bronze a pequena pilha. Baixou a voz e como se comentasse o tricô do meu suéter que tocou com as pontas dos dedos, informou que meu primo estava lá no quarto ferrado no sono, devia ter chegado de madrugada, o maroto. Andava muito malcomportado esse menino.

Eu ainda não frequentava a escola de Maria Jorge mas já representava quando elogiei com voz melíflua o modelo na capa da revista, uma jovem cor de marfim com seu coque duro e casaco azulão de ombros largos com botões dourados, inspirado no jaquetão dos oficiais de Marinha.

Os sons do violino foram enfraquecendo. E não sei por que me lembro agora de uma expressão que ouvi muito as tias e primas ricas repetirem, *le dernier cri*. Perguntei ao meu pai o que queria dizer e ele respondeu enfático depois de corrigir minha pronúncia, O último grito, Rosinha! Então fechei a revista com seus últimos gritos da moda, os últimos sorrisos sem alegria de uma guerra que chegava ao fim.

Quando vi tia Lucinda entrar fardada, levantei-me mas não tive forças de correr para beijá-la como fazia sempre, a tia tinha virado um soldado e a gente não beija soldado. Pode o tempo passar e passar e passar e acho que nunca mais vou esquecer a farda de brim cinza-chumbo da minha tia. Era de estatura mediana, mais magra do que gorda e por isso caía-lhe bem o dólmã de botões pretos sem brilho, cinto de couro preto com o quepe dobrado e enfiado no cinto. A saia-calça engomada e reta era um pouco mais clara do que o dólmã e cobria-lhe os joelhos chegando até a fronteira das meias de algodão cinza, tipo colegial. Sapatos pretos de amarrar, sem salto. E o cabelo, mas o que fez a tia do seu belo penteado de pajem medieval que descia meio ondulado até quase os ombros?... O cabelo agora estava cortado bem curtinho e aplastrado com gomalina. Fiquei parada feito estátua, quando levo susto fico insegura e na insegurança resvalo para a superfície gelatinosa da bajulação, Que bonita farda, titia! E esse penteado novo tão na moda, sabe que ficou uma graça? Uma graça, fiquei repetindo feito tonta e ela acreditando, Que bom que você gostou, disse e enfiou dois dedos no colarinho da camisa branca e que devia estar apertando. Trazia na mão a gravata preta, Não sei é dar o laço, André me ensinou mas me atrapalho, não é fácil!

Limpara das unhas aparadas o verniz vermelho-cereja. Nem sinal de batom, apenas uma leve camada de pó de arroz no rosto cor de marfim como o rosto da moça da capa da revista. Elogiei o corte do dólmã, o corte do cabelo que devia ficar tão bem com o quepe, esse que ela enfiara no cinto, ah, e tinha também as luvas brancas!

Animou-se e me tomando pelo braço, conduziu-me à sala de jantar. A grande mesa com a alvíssima toalha entremeada de rendas. O grande lustre de pingentes de cristal. Notei que não usava perfume, a noite seria despojada, sem perfume e sem luz, Vai haver hoje um blecaute no bairro, comunicou com gravidade. Dirigiu-se à Efigênia com voz de comando, que trouxesse mais castiçais com velas. E o Miguel? Dormindo ainda? Avise o Miguel, prosseguiu baixando o olhar preocupado para a grande sopeira que destapou. Recuou um pouco para se desviar da fumaça. A fisionomia ficou branda quando voltou a face para o teto. Teve um sorriso de beatitude.

— O André toca divinamente essa Serenata.

Ficamos de pé, ouvindo os últimos acordes do violino emocionado.

— Olha só a mamãe de farda! Quase derrubei a cadeira quando me virei e dei com Miguel encostado na porta que dava para a copa. Tinha um largo pulôver azul em cima do pijama amarrotado e estava sem meias, as sandálias pretas desatadas, as tiras frouxas. O sorriso frouxo. Um ligeiro pente molhado — mais água do que pente — aplacara os cabelos gotejantes. Uma sombra alourada da barba no queixo. Tia Lucinda falava mais grosso quando ficava nervosa, Mas filho, você não vai se vestir?

Ele veio vindo no seu andar de barco. Beijou a mãe que

nem retribuiu, o olhar em pânico posto na porta por onde tio André devia entrar. Então ele piscou para mim e encostou a testa na minha, gostava de cumprimentar desse jeito, Então?!... Cheirava a um dentifrício líquido que eu adorava, Odol. Havia um pouco de talco na gola do seu pijama. E a mamãe se alistou, viva a mamãe! Tanto orgulho dessa mãe... Atalhou-o a voz soturna de tia Lucinda falando agora entre os dentes, Para com isso, Miguel, não começa!

Tio André entrou, contornou a mesa e quando passou por mim acariciou de leve minha cabeça. Apertou o braço de tia Lucinda que fez uma cara de enlevo e no seu andar vagaroso dirigiu-se à cabeceira. Não deu o menor sinal de ter visto o filho que foi escorregando e sentou-se pesadamente mas tia Lucinda deu-lhe um cutucão, Ora, Miguel! Ele levantou-se e acenou desajeitado, Boa noite, papai, o senhor está bem? O tio baixou a cabeça como se estivesse rezando, Querida, quer pedir para servir?

Empalideci e corei de novo, envergonhada desses rubores que só aconteciam com as heroínas dos romances de Madame Delly que eu lia deslumbrada mas escondida de Miguel, Não, Rosinha!, não leia essa água com açúcar. Vou te dar os livros de D. H. Lawrence, já ouviu falar nele? Nunca ouviu, fica perdendo tempo aí com bobagens.

Não me deu os livros de D. H. Lawrence. Que acabei comprando um dia, mas isso foi muito mais tarde.

16

Voltei ao gravador, a gente sempre volta. Estou menos brilhante do que ontem, a saliva engrossando na boca, acontece a mesma coisa com os bichos, Rahul começa a salivar e lamber o focinho quando está com medo. Na manhã em que Gregório — enfim, naquela manhã de horror em que ele foi embora, enquanto eu corria de um lado para outro na atazanação do desespero, olhei para o Rahul que estava na sua posição de esfinge. Lambia o focinho.

E não sei por que me vem de novo a história do rio botando para fora aqueles peixes, talvez os melhores, os mais belos, os mais limpos. Mas ele viajou porque foi preciso ou?... — perguntou Ananta quando falei no assunto. Fiquei olhando com cara de idiota a sua cara idiota. Não, queridinha, ele saiu daqui ventando só para dar uma olhadela lá na *Mona Lisa* do Louvre, ô meu Pai! haja saco. Não sei, respondi, ele não costumava dar satisfações do que fazia. Sei que voltou da prisão um outro homem, não é assim que se diz? O passo tropeçante e de repente, o terror no olhar, o terror que disfarçava, mas por que tinha que disfarçar tanto assim? Por que não se abria comigo, com a filha, com os amigos, por que evitava todo mundo, ainda o medo? O que fizeram com ele naquela prisão repelente? eu ficava me perguntando e até hoje. Atingido no que tinha de mais precioso, a cabeça, ah! chega, já disse tudo isso e estou repetindo, chega.

O uísque desce mais violento pela minha garganta, indignados os dois, o uísque e eu e ainda assim quero continuar falando, lá sei se esse bosta de gravador ainda funciona, apertei os botões e pronto, não interessa, vou até o fim. Quinta-feira. Noite da canja muito especial e a tia com sua farda especialíssima. A mesa engomada. O lustre aceso, enorme, todo aceso. O tio na cabeceira, amassando entre os dedos magros o miolo de pão, quando estava satisfeito, chegava a fazer seus bonequinhos, fez poucos. A tia com o cabelo curtinho e a farda de voluntária, a respiração curta, respirava assim quando estava aflita. Miguel, o meu amado com seus caracóis que se levantavam à medida que iam secando, algumas gotas d'água marcando ainda a gola do pijama. E eu de língua ardendo, a canja fervente me queimava e ainda assim prosseguia enchendo e esvaziando a colher de prata. Eu te odeio!, quis dizer a Miguel quando senti seu olhar rindo de mim. Nesse instante ele me mandou um beijo envergonhado nas pontas dos dedos, chegou a soprar o beijo, como uma criança. Cobri a boca com o guardanapo disfarçando o riso num acesso de tosse.

— A mamãe vai me desculpar mas não gosto desse penteado, acho que se a senhora prendesse tudo num coque atrás...

Tia Lucinda demorou para responder. Passava manteiga numa torrada. Apanhei um pãozinho e comi só o miolo para não fazer aquele barulho triturante.

— Tem que ser assim, Miguel. O Capitão não quer ver nenhum fio esvoaçando e meu cabelo é fino, qualquer vento... Farda é farda.

Guerra é guerra. Para aliviar a tensão fiz uma pergunta, minha ignorância real ou fingida sempre serviu para desviar as discussões que se armavam entre papai e mamãe na hora das refeições, acho a mesa o local preferido para um casal deixar bem claro que o amor acabou e em lugar dele ficou outra coisa. Mais tarde descobri que a cama é um lugar melhor ainda para esse tipo de definições.

— Um blecaute, titia? Por quê?

O relógio cuco da sala abriu a portinhola e o bico. Cantou sete vezes. Tia Lucinda encheu meu copo de guaraná e se aprumou na cadeira.

— Veja, filha, o objetivo principal é apenas instruir a população que precisa se defender em caso de bombardeio. Estamos com os Aliados na mais terrível das guerras. E se acontecer um ataque aéreo aqui na nossa cidade, no nosso bairro! já pensou nessa hipótese? Temos que apagar imediatamente as luzes das ruas, das casas, fechar portas e janelas, cerrar cortinas, tudo apagado, escuridão total, minha querida. Os carros parados sem os faróis, nenhum cigarro aceso, nem o cigarro se pode acender com os aviões inimigos sobrevoando nossos telhados. Um simples fósforo aceso pode servir de alvo para as bombas, um simples fósforo!

Efigênia tirava os pratos. Parou com a bandeja.

— Meu Deus!

— Mamãe, mamãe, mas que loucura é essa? — resmungou Miguel se remexendo na cadeira. — A guerra está acabando, eles estão lá feito loucos no vale-tudo final, o Eixo está se lixando com a América Latina — disse e inclinou-se para mim. Colou a boca ao meu ouvido: — Eles estão fazendo montes pra gente, viu minha florzinha?

Baixei a cabeça apavorada, e se os tios ouviram! Com o rabo do olho vi que tio André enrolava o guardanapo com sua expressão magoada mas digna. A tia tentou um sorriso enquanto lhe apertava a mão, um gesto muito frequente entre ambos, ou era ela ou ele que tomava a iniciativa. Respirei. Esvaziei o copo de guaraná.

— Obrigada, tia, agora entendi.

— Sua mãe tem toda razão, Miguel, começou tio André.

Ela sabe que o inimigo está em toda parte, não podemos ficar alheios ao perigo. E os espiões? Espero que tenha ouvido falar na imensa rede de espionagem que anda por aqui.

Pressenti que nova crise se armava e fiz a segunda interferência da noite. Sabia que estava passando por tola mas me ofereci ao sacrifício, será que eu não podia me alistar como voluntária no Batalhão da Defesa Passiva? Queria ser voluntária-enfermeira.

— Você, enfermeira? — exclamou Miguel se sacudindo de rir. Ficou sério. Enrolou com cuidados exagerados o guardanapo que enfiou na argola. Cerrei os maxilares para segurar o choro.

Tia Lucinda arqueou as sobrancelhas finas, serviu o café e depois pousou a mão paciente na minha, mas qual era mesmo a minha idade? Quinze? Dezesseis? Não, não podia me alistar a não ser que a guerra ainda durasse mais tempo o que era bastante improvável, os Aliados estavam vencendo em toda linha, uma glória! anunciou ao se levantar e fazendo com dois dedos enérgicos o V da vitória. Num passo marcial, dura na sua farda, foi até o tio André, entregando-lhe a gravata: Querido, pode me ajudar?

Quando passamos para o salão, tia Lucinda tirou o quepe do cinto e exatamente como a gente via os galãs soldados fazerem nos filmes, sem espelho ela enfiou o quepe na cabeça, como se não tivesse feito outra coisa na vida. Calçou as luvas brancas. Efigênia correu para entregar-lhe o apito que esquecera no quarto, apito e farolete eram indispensáveis nessas rondas. Examinou o relógio-pulseira. Confrontou-o com o relógio na prateleira de mármore da lareira acesa.

— Tenho que ir — avisou e voltou-se para tio André: — Fecha tudo, sim, querido? Rosinha, é melhor se recolher, o blecaute não demora.

— Eu levo a Rosinha, comigo ela não corre perigo — ofereceu-se Miguel ardilosamente escudado atrás de uma poltrona.

Mas tio André não estava mais interessado no filho com

seu pijama, preocupava-se agora em fechar as janelas que abriam para o jardim. Cerrou apressadamente as cortinas. Efigênia já acendia os castiçais.

Cruzei os braços, olhei o lustre de cristal ainda brilhante. Comecei a tremer. Era como se os caças nazistas já estivessem voando nos nossos céus em formação magnífica, o capitão da esquadrilha com sua jaqueta de couro e perfil agudo de águia apontando com o dedo enluvado o objetivo lá embaixo, o alvo não era lá? *Dort*. Lá, São Paulo, bairro de Higienópolis.

— Comporte-se, Miguel, você não vai sair desse jeito — soprou tia Lucinda assim que o marido se afastou para fechar as janelas do escritório.

Miguel quis ajeitar-lhe o quepe puxando-o ligeiramente para o lado, e se ele ficasse meio de banda? Desistiu abrindo os braços no maior desânimo, até uma pluma perderia seu ar frívolo num penteado assim rígido.

— Calma, mãe, daqui a pouco vão apagar as luzes. Quem vai ver que isto é um pijama? — perguntou no mesmo tom sussurrante. Apertou minha mão. Encostou a testa na minha: — *Top secret*, Rosinha, mas não vai ter bombardeio. Hoje não.

A noite com lua. O silêncio. Enlaçou-me pela cintura, A mãe vai ter que dizer à lua que ela não pode continuar acesa! Debaixo da árvore beijou meus cabelos, meu pescoço. Tentou minha boca. Desviei a cara, mas ele tinha endoidado? Dando escândalo numa noite assim tão perigosa, e se nos prendessem?

— Anda, Miguel, quero estar em casa quando começar o alarme!

Ele prendeu minha cabeça entre as suas mãos. Vi de perto seus olhos que agora estavam negros.

Comecei falando no meu primeiro amor e ainda estou falando nos olhos verdes que escureciam de repente. Curioso é que eles não demoravam muito nas pessoas, nas coisas, tão fugidios. A vontade de entregar minha boca à sua boca de lábios cheios, os cantos virados para cima, mas não é um espanto? A Cordélia tem esse mesmo tipo de boca ironicamente meiga. *Doce Pássaro da Juventude*, doce. Doce.

Mas nesse tempo eu não sabia da peça, não sabia de nada, sabia apenas que estava apaixonada e que sonhava desesperadamente com esse casamento. Que me daria segurança para seguir até a próxima etapa, os estudos. A carreira de atriz, adeus agregados! Adeus porões sombrios, ônibus sacolejantes com o dinheiro exato da passagem dentro da capanga, estavam na moda essas bolsas a tiracolo de couro cru e rudes como as peixeiras dos feirantes.

As Grandes Esperanças. Tirei o livro na biblioteca mas achei o romance monótono, escolhi só por causa do título. Que esperança podia ter nesse primo tentando me beijar em plena noite de blecaute? O primo rico amarrotado e com a barba por fazer, senti a aspereza do seu queixo no meu queixo. O primo presente-ausente como as estrelas. Ou como os caças inimigos cruzando o nosso céu — que futuro? que presente poderia ter com o caprichoso Miguel a tiracolo feito a minha sacola? Estava ao meu lado e não estava. Estudioso e preguiçoso, rico e sem dinheiro, sempre sem dinheiro porque era pródigo, gastava a mesada em menos de uma semana com milhares de coisas que ia comprando, via um objeto, gostava e comprava, levava para casa pilhas de pacotes que às vezes nem desembrulhava porque já se desinteressara deles, chegou a comprar um saxofone e não sabia tocar saxofone, comprou porque achou bonito. Discos, revistas — meu Pai!, tinha essa mesma mania de Cordélia com as revistas que percorre rapidamente e depois joga fora. Primos longe, hein?! E parecidos na sua natureza mais profunda.

Miguel e seus presentes, recebi tantos. Coisas supérfluas que eu não podia comprar e que ele me oferecia com seu jeito displicente, não queria me ferir. Conhecia nossas vicissitudes, papai gostava de usar essa palavra espinhenta todas as vezes em que queria dizer que a vida era uma encrenca dos diabos, Me confesso derrotado! queixava-se. E a mamãe quieta, mexendo no tacho a goiabada que depois vendia nos famosos tijolinhos. Vicissitude. Miguel ouvia as conversas e depois vinha com lenços de seda, meias, brincos. Eu protestava, Mas não é o meu aniversário! Ele ria da minha jequice, Desde quando é preciso fazer anos para ganhar presente? Chorei de emoção ao receber o coraçãozinho de ouro que se abria de par em par, nossas letras gravadas lado a lado — M. R. O estojo de pó de arroz de esmalte azul-turquesa e que me fazia sentir uma princesa egípcia quando me olhava naquele espelho. O colar de pedras de lápis-lazúli. O perfume que me deixava eufórica, eu o sentia e tinha vontade de sair dançando, *Je Reviens.*

Eu voltarei, ele disse quando me entregou o frasco com anjinhos em relevo na caixa azul-claro. Lia muitos livros franceses e como me falou de repente em Marie-Ange, perguntei se era sua professora. Ele ficou me olhando, Professora? Enfiou a mão no bolso da calça e riu enquanto dissimuladamente começou a coçar as partes. Tia Lucinda já tinha comentado com a mamãe esse péssimo costume dele e de outros rapazes de família mexerem às vezes nas partes. De um jeito disfarçado, é claro, mas então não dava para notar a mão em ação no fundo do bolso? Hein?!... Nessa tarde as duas irmãs tomavam o lanche na copa que cheirava a bolo de chocolate e falavam em voz baixa, que os empregados não ouvissem. Debrucei-me do lado de fora da janela para avisar a mamãe que a costureira estava em casa. Então ouvi o nome de Miguel e me calei enquanto tia Lucinda insistia que na Europa, imagine, nesse tempo todo que ficou lá nunca viu os jovens da sociedade francesa enfiarem a mão no bolso assim com essa frequência com que via no Brasil. Fiquei rindo em surdina. E agora ali estava ele repetindo o gesto que fingi não perceber enquanto perguntava por essa Marie-Ange. É uma boa amiga, disse e ficou com a mesma expressão inocente do anjinho da caixa de perfume.

Blecaute, tia Lucinda? Blecaute. No portão de casa ele me deu o primeiro beijo de língua, consenti e em meio do beijo comecei a chorar, era demais para uma só noite. Recuei crispada, Não, Miguel, me larga! O segundo beijo foi mais calmo. Mais profundo. Afundei a cabeça aturdida no seu peito, aspirando no seu pulôver o cheiro dos armários de tia Lucinda, um cheiro que eu conhecia tanto e que nunca tivemos em nossos armários mesmo no tempo da riqueza. Misturado àquele cheiro raro um resquício de cloro de piscina, ele gostava de nadar e nadava como um campeão o nado de peito que fazia pensar numa borboleta louca avançando entre o fundo e a superfície da água, *Butterfly*.

— Não pretendo me casar nunca, Rosinha, mas se um dia mudar de ideia, vai ser com você.

Soube que Marie-Ange era sua amante por uma indiscrição do motorista quando atendeu um telefonema, não sabia que eu estava na copa, ajudando Efigênia a embrulhar as balas de ovos. Foi na cólera que me fortaleci.

— É chocante, Miguel. Essa sua vida devassa, a palavra é essa mesma, devassa!

Ele procurou o cigarro no bolsinho debaixo do pulôver. Segurei sua mão, Não pode fumar, ô Deus! O blecaute! Ah, Miguel, Miguel, devasso e cínico! Ele começou a rir. Encostou-se ao portão e me puxou para junto dele.

— Mas o que você quer que eu faça, minha florzinha? Não posso ficar me masturbando e não venha me dizer que não sabe o que é se masturbar. Não sou cínico quando digo que preciso ejacular no vaso destinado a esse uso, entendeu? Foi o que respeitosamente me aconselhou um padre amigão que conheci no ginásio, tudo normal, minha flor. Onde o escândalo? Por acaso você quer ser minha amante? Não quer e nem vou insistir, é virgem e vai se casar, tudo direitinho. Então a gente tem que se arrumar por fora e o risco é grande, Rosinha. Tem a sífilis e mais um bando de doenças de nomes muito feios, ih, horríveis. A Maria-Ange é muito boazinha, não é amor, é... Rosinha, não fique assim, você é muito criança mas tudo é tão natural. Ainda por cima ela me ensina francês, língua a gente aprende bem na cama.

Sacudi a cabeça, entendia, é claro. Mas detestava esse seu jeito de falar sem o menor fervor. Sem o menor idealismo.

— Idealismo — ele repetiu e sua linda voz se misturou a um choro de criança, alguma criança chorava nos fundos do nosso porão. A tosse nervosa da mamãe começou na sala, queria me avisar que estava ali e que naturalmente eu devia entrar. Comecei a tremer no desamparo da noite escura, papai já tinha ido embora. Nosso porão alugado. E aquele primo amado zombando do casamento, da guerra, de tudo. Desapegado, sem nenhuma crença, tomei-lhe as mãos, beijei-as. A tosse da mamãe ficou mais próxima.

— É você, Rosa?

— Sou eu, estou aqui com o Miguel, mãe.

— Ele não quer entrar?

— Agora não pode, já está se despedindo.

As sirenes estridentes subindo exasperadas e o beijo de Miguel mordendo suavemente meu lábio, empurrei-o com força. Fugi correndo. Mamãe já tinha apagado as luzes. Entrei tateante na sala de visitas e me apoiei na cadeira, ofegava, ah, que bom. Que bom estar assim na escuridão onde nem ela nem o inimigo podiam me ver. Mila trouxe a vela acesa no pires e a chama e a vela vacilando, Mila estava em pânico. Abriu a lata de bolachas. Mamãe correu e fechou a janela.

O casamento da prima Flora com o Evandro estava marcado para o dia vinte e cinco de dezembro. Tia Ana, sempre tia Ana, achou uma solução juntar o casamento com a festa de Natal.

Seu longo de cetim preto a mamãe mandou fazer na nossa costureira do bairro mas o meu vestido de tafetá amarelo-ouro ela quis que fosse feito na Madame Toscano, a modista de tia Lucinda. Quando recebi a grande caixa, quase gritei de alegria. Mas enquanto eu abria o vestido na cama, uma nuvem desceu e me escureceu de repente, por que ele andava me evitando? O Miguel. Amável como sempre, generoso mas meio esquivo, como se receasse que eu insistisse no projeto do casamento. Como se receasse me magoar — era isso?

Pois então a gente não se casa! eu decidi e comecei a cantar contente de novo, pronta muito antes da hora marcada, tamanha aflição. Pretextando pedir à tia Lucinda um broche emprestado, deixei mamãe que começava a pintar os olhos e corri para a casa da tia. E já estou chorando feito uma idiota, chorando alto e essa porcaria de gravador gravando o meu choro, ah! que dor. Faz tanto tempo e é como se tivesse acontecido há pouco, eu com o meu lindo vestido amarelo e sapatos azuis e querendo que ele, só ele me visse antes de todo mundo. Antes que começasse a festa.

O velho jardineiro podava a grama do jardim batido de sol. Cumprimentei-o de longe e ele aproveitou para descansar o braço no cabo da foice enquanto tirava o chapéu, estava no fundo do gramado, Boa tarde, menina!

Entrei chamando por Efigênia, Você está aí, Efigênia?... A casa parecia deserta, nenhum empregado, nenhum ruído. Avancei devagar chamando por tia Lucinda, A senhora está me ouvindo? Tia Lucinda! Onde a senhora está, tia?!... Estranhei, mas onde estavam todos? Só o jardineiro velho podando a grama, velho e surdo. E a casa vazia. Pensei em subir a escada mas resolvi continuar, Tia Lucinda!... Atravessei a sala de jantar com seu lustre e seu silêncio. Suas pratas. Entrei na copa. A bandeja de chá estava na mesa. Toquei com a ponta do dedo no bule. Morno ainda. A xícara com um resto de chá no fundo, tia Lucinda devia ter tomado seu chá na hora de costume. Segui pelo corredor na direção do quarto de Miguel. Pisava leve nos tapetes, meus sapatos rangendo um pouco, tão novos, Tia Lucinda? A senhora está aí?... Miguel?... Posso entrar? perguntei num sussurro e não veio resposta. A porta do quarto entreaberta. Miguel?!... chamei e empurrei a porta. Ali estava tia Lucinda sentada na cama com o Miguel nos braços. Ali estava ela no seu longo roupão de lã branca, os cabelos desfeitos, esvoaçantes, a cara branca, o olhar ausente. Fazia um ligeiro movimento de cadeira de balanço como se embalasse o filho que dormia. Comecei a tremer, o Miguel desmaiou, pensei assustada. Ele desmaiou e tia Lucinda veio socorrer o filho desmaiado. Imóveis os dois. E ele tão grande transbordando do colo da mãe, que desmaio era aquele? Tia Lucinda era uma mulher pequena e ele tão grande, imenso. Vestido só com a calça do pijama azul, o tronco nu, os braços musculosos pendendo frouxos até o chão, chegando ao chão como as tiras frouxas das suas sandálias desatadas na noite do blecaute, as sandálias que estavam ali perto da cama. Agora estava descalço. A cabeça encaracolada tombava para o peito da mãe, uma cabeça tão desvalida que cheguei a pensar em ampará-la como se corresse o risco de rolar por ali. Mãe e filho quietos na casa quieta. O silêncio escuro, com uma leve aragem que entrava pela fresta das cortinas e que fazia esvoaçar os cabelos de tia Lucinda, ela estava sem a farda, eles podiam esvoaçar. Tia, eu posso ajudar? perguntei baixinho. Ela voltou para mim o olhar que parecia não me ver, ia além. Além. Não respondeu, continuou no seu brando movimento de cadeira de balanço, as pontas dos dedos de Miguel roçando o tapete.

Recuei com o sentimento de que estava apenas diante de um quadro, a cena não era real, aquilo era um quadro muito antigo, antiquíssimo com a Virgem e o Cristo morto. Ele fora despregado e a Virgem o recebera sem gestos e sem lágrimas, o recebera nos braços simplesmente. Mas ele era grande demais e por isso pendia do regaço da mãe assim num desamparo cor de cera, as pontas das mãos e dos pés ligeiramente arroxeadas. Parei na mão de dedos assim curvos, foi como se ele começasse a fechá-la e de repente interrompesse o movimento, sem forças para completar o gesto que se cristalizou na roxidão. Recuei mais, sempre de costas, refazendo sem ruído o mesmo caminho para não despertar o quadro. Nem o quadro nem os outros da casa. Soube mais tarde que Efigênia e os empregados tinham saído para procurar tio André que foi cortar o cabelo no barbeiro do quarteirão, já ia começar a se vestir para a festa. Ficou apenas o jardineiro surdo que prosseguiu podando a grama com sua foice. Quando desatei a correr, quando consegui gritar, gritar e correr já estava na metade do jardim com a Efigênia e a cozinheira vindo ao meu encontro, me desviei das duas e do motorista que quis me segurar, fugi dele e na fuga esbarrei em tio André que pareceu nem me ver na sua pressa desvairada, deve ter entrado, não sei. Não sei.

Sei que continuei correndo pela rua afora, Mamãe, mamãe, o Miguel!... Ela estava de pé no meio do quarto, só de combinação e de meias, Efigênia tinha passado para avisar. Olhou-me através do grande espelho oval do guarda-roupa, os olhos azuis pintados mas sem lágrimas, ainda sem lágrimas. Assim que me viu começou a andar em círculos como se procurasse alguma coisa no chão, arrancando furiosamente os grampos dos anéis dos cabelos que Mila devia pentear. Estendido na cama de casal, o vestido. Vi ainda o rosário de contas transparentes dependurado na quina da cabeceira da cama. Então caí de joelhos e me agarrei às suas pernas, subi mais porque tive medo de desfiar suas meias e me agarrei ao seu ventre, afundei a cara nesse ventre porque era ali que eu queria estar de novo, Não é verdade, mamãe, diga que não é verdade! Ela se ajoelhou, me abraçou, me beijou e assim ajoelhadas e abraçadas ficamos chorando juntas.

A barra pesou demais, espera, vou beber um pouco, quero beber por Miguel, por tia Lucinda, quero beber principalmente por mamãe que gemia, ah! era uma vidente: em meio das lágrimas que escorriam pretas de rímel, disse que na véspera sentiu um forte cheiro de vela que vinha na brisa. E o cheiro era de lá. Contou ainda que a coisa já vinha de longe, fazia tempo que tia Lucinda andava com uma espada atravessada no coração, ela sabia. Ela e tio André e tia Ana e os amigos, todos sabiam, todos! Sabiam o quê?! perguntei e mamãe me fez tomar o copo de água de melissa que a Mila trouxe, veio com o calmante e o tricô que começou a fazer furiosamente, no desespero o tricô saía perfeito.

Fiquei sentada no pequeno tapete ao lado da cama, chorando baixinho enquanto a mamãe enxugava com raiva a cara com a pintura borrada pelas lágrimas. Com a ponta da toalha, com delicadeza limpou meus olhos, meu nariz e começou a falar e sua voz foi ficando cada vez mais distante, enrouquecida, tentando explicar que as más companhias e a sedução das drogas... Dinheiro demais, facilidades, repetia querendo me consolar com a explicação que não explicava. Falou, falou e eu só pensava na noite do blecaute, nós dois no portão. A lua. A sirene subindo em espiral agudo e o meu pânico subindo junto, e se tia Lucinda com seu farolete e se o caça alemão com seu binóculo?... Desapareceu tudo, ficou a boca de Miguel procurando a minha, mordendo devagarinho o meu lábio e eu fugindo e sua voz me mordendo ainda, Não me deixe, Rosinha!

Olha aí, fiquei rouca como naquela tarde do casamento, faz duzentos anos e a mesma rouquidão e a mesma dor, eu chamando por ele e a mamãe querendo saber por que um menino tão distinto, com tanto futuro e com aquele pai especialista em loucos e aquela mãe voluntária-bombeira, tão heroica apesar do coração atravessado, por quê?!...

Foi duro, Rosa Ambrósio. Foi duríssimo e a dureza não ficou aí, estranhei quando mamãe começou a me pentear, a arrumar o meu vestido e a empoar a minha cara, prendeu depressa meu brinco que caiu.

— Escuta, filha, o casamento já está começando, ninguém sabe da tragédia e nem vai saber pelo menos hoje, só hoje é possível esconder esse horror... — Interrompeu para se enfiar num vestido caseiro. Meteu os dedos por entre os anéis de cabelo tentando alisá-los num movimento impaciente. — A gente não pode deixar que sua priminha justo no dia do seu casamento, ah, é triste demais, a festa suspensa, já pensou? Ela não merece isso, não merece não. Ele está morto, querida. Nada pode mudar esta tragédia. Queria então que você engolisse o choro e fosse ao casamento como se nada tivesse acontecido, está me entendendo? Só você pode ajudar, queria que você fosse agora e dissesse à tia Ana que já vamos indo, houve por aqui um pequeno problema...

Teorema. Enquanto ela ia falando ia me enfeitando, me animando, Querida, você está linda, apesar de tudo, está linda.

— Não vou conseguir.

— Vai sim — disse e me puxou pelos braços, me fez levantar. No espelho me vi de corpo inteiro, o vestido amarelo-ouro, o arranjo de flores de seda que mamãe prendeu novamente nos meus cabelos soltos até os ombros. E minha cara pasmada, cara de virgem da mitologia, aquela que foi escolhida e preparada para o altar do sacrifício. Devia me comportar com naturalidade, será que eu estava entendendo? Que ninguém desconfiasse. Fiz que sim com a cabeça. Ela iria ficar com os tios, ajudar no que pudesse e podia tão pouco, hein?! O motorista me levaria imediatamente. Eu falava tanto em carreira teatral. Seria meu primeiro papel importante, representar uma menina feliz, Vai, filha, depressa!

A cerimônia religiosa estava no fim, a festa ia começar no palacete desabrochado em flores, repleto, a música começando, as taças borbulhando e os noivos. Mamãe e os tios vêm vindo por aí, eu informava e bebia, eles já vêm vindo! ia respondendo e rindo tanto que tia Ana se preocupou, devia ter abusado do champanhe, Cuidado, queridinha. Quando vi os noivos dançando tão brilhantes, sozinhos no meio do salão, quando vi passar a carinha radiante da minha prima enrolada nos metros e metros de rendas pensei que a mamãe tinha razão, seria cruel demais tirar-lhe essa alegria.

— Que festa! — exclamei e abri os braços ao moço que se inclinou para mim. Esvaziei a taça.

— Não danço bem, menina. Mas se quiser correr o risco...

Avancei para ele, vacilante. Estou tonta, tonta, fui repetindo, a cabeça apoiada no seu ombro. Mas quero dançar, me leva?... Ele arrefeceu o ritmo nas primeiras voltas e me enlaçando ainda foi me conduzindo até a poltrona. Fechei os olhos. Adeus, Miguel! Onde você estiver não se esqueça que eu te amo.

— Então, está melhor?

Encarei-o. Ele apanhou o brinco que caiu na poltrona, pediu licença para prendê-lo na minha orelha e sugeriu que eu devia comer alguma coisa, ia buscar o meu prato. Antes, se inclinou e disse que se chamava Gregório.

17

— Por favor, me acompanhe — disse a enfermeira de avental cor-de-rosa. — O senhor vai ter que esperar, ela está saindo da sauna.

Renato Medrado foi seguindo a mulher pelo estreito corredor da clínica de paredes pintadas de verde-água. Frescor verdolengo. Calmo. A passadeira de plástico era de um tom verde mais forte e nela se colavam pegajosas as solas de borracha dos sapatos da enfermeira, plaque. Plaque. Ele sentiu-se entrando pelo caule de uma folha de alface.

— Trouxe um livro, fico lendo.

A enfermeira parou diante da porta envidraçada que se abria para o pátio. Alguns dos internados estavam sentados nos bancos, tomando o sol da tarde. Outros passeavam pelas alamedas de pedregulhos, apoiados nos visitantes. Ou em enfermeiros. Havia ainda os solitários como o homem parado ali adiante debaixo de uma árvore.

— Olha, vagou aquele banco. Fique à vontade — disse a enfermeira com seu sorriso alvar antes de entrar de novo no casarão.

Sorriso alvar significa apenas sorriso ingênuo ou imbecil? A verificar, decidiu Renato Medrado voltando-se para um velho resmungante que passou dependurado no braço de uma enfermeira com o mesmo sorriso da outra.

Clínica particular de viciados e desajustados. Internavam-se, ficavam ajustados e desintoxicados. Saíam. E recomeçava tudo de novo. Ou não recomeçava, por que o pessimismo? Havia sol e chegara a Primavera. Amanhã diria Tchau! à desaparecida prima que não era Vera. E se encontraria com a Vera verdadeira que não era prima mas amante. Isso se o chato do marido viajasse para cumprir suas tarefas constitucionais. E tinha que cumpri-las, está pensando o quê?! Alguém tem que se ocupar da Nova Constituição, decidiu ele revoltado diante da hipótese do trabalho estar sendo negligenciado.

Sentou-se no banco, deixou a pasta ao lado e estendeu as pernas. Sentiu-se repentinamente confiante, o marido ia viajar, é evidente. Quando a Pátria está em perigo, tem que atender ao chamado, *A Pátria em Perigo!* era o título do artigo que publicou na *Tribuna Acadêmica*. Concentrou-se. A expressão endureceu. Desde os seus verdes anos a Pátria estava em perigo e pelo visto ia continuar perigando por muito tempo ainda. Uma maçada. Esse amor triangular. Ainda bem que segundo a Vera, o marido não era de dar tiros. E por que dar tiros se o casamento estava liquidado. Foi o que ela disse, Meu casamento está liquidado. Mas o filho de ano e meio não significava que o casamento não estava tão liquidado assim? Ajustou os óculos no nariz fino. Alisou o bigode. A sorte é que não estava apaixonado, ui! paixão e tortura, nunca mais. É ir levando, e fez um gesto bem-humorado na direção de um casal que passou procurando por algum internado. Fácil romper com uma mulher casada, principalmente se ela está numa situação que não quer perder. Quanto está ganhando um deputado? Sem cinismo, era um consolo saber que o mau humor da abandonada se canaliza inteiro para o marido. Era a ligação ideal, não fora o risco. Renato Medrado arregaçou as mangas do pulôver amarelo. Olhou o relógio-pulseira. E essa atriz na sua sauna. Tudo o que ela ia dizer, já sabia e ainda assim queria ouvir mais uma vez que Ananta Medrado era uma flor de menina. Feminista mas moderada. Contra a pena de morte. Não tinha namorados, não tinha amantes, os vizinhos sabem tudo sem fazer uso de um binóculo. Gostava muito de andar e de ouvir música. Falava pouco. Bem-humorada. E o que mais? Renato Medrado alisou o bigode. E a atriz, Rosa Ambrósio? Nunca viu Rosa Ambrósio representar, logo, teria que começar com elogios rasgados, a ignorância compensada pela exuberância, Ah, Madame, que honra! Havia de gostar de ser chamada de Madame essa dona que ficou sem o namorado-secretário e sem o marido, pelo visto, um professor de extrema esquerda que foi preso, torturado e que no final já não regulava bem, na linha assim do apático. Não sabia se o jovem programador cultural já funcionava antes da morte desse marido. Ataque cardíaco. Mas há coração que aguente? pensou Renato Medrado e logo se distraiu olhando uma jovem que vinha pela alameda. Cumprimentou-a, Oi! e ela retribuiu com uma careta graciosa, Oi! acenou e entrou no casarão.

A multiplicação dos loucos e dos pães. E era bonita a menina ruiva de camisa roxa e cabeleira aberta feito juba de leão. Se estava ali, tinha algum problema, Uma pena, ele lamentou e encarou a nuvem que tentava cobrir o sol. Esboçou o gesto de tirar o cigarro do bolso mas interrompeu o movimento, estava tão satisfeito que não sentia a menor necessidade de fumar. Só mais este porque estou satisfeito, decidiu e acendeu o cigarro. Tragou com renovado prazer. A menina podia ainda ser uma simples visitante mas não trazia bolsa, vinha com as mãos enfurnadas nos jeans e o andar era de quem percorreu muitas vezes esse mesmo caminho. Seja qual for seu mal, vai sair dele, desejou. Pensou no delegado de gravata vermelha. Estou suspirando como ele, há de ver que suspiro é contagioso.

Ninguém desaparece. Mas deixar de ser visto ou não ser visto nunca mais não é o mesmo que desaparecer? Simpático o velho suspirante mas bem pouco de objetivo ele adiantou, quase nada. Divagações, conselhos. Voltasse ao apartamento onde devia estar o miolo da alcachofra. Pois amanhã iria à *Alcachofra All'Inferno,* muito alho. Vinagre, sal e azeite à vontade. Forno quente. Tirar folha por folha até chegar ao miolo protegido por uma fina camada espinhosa. Retirar a camada áspera e descobrir o miolo tenro.

Não existe mistério por mais complicado que seja que não possa ser resolvido, disse o japonês que o atendeu na Delegacia do Distrito. E foi contraditório quando informou em seguida que a delegacia estava abarrotada de casos pendentes. Centenas e centenas de casos não resolvidos. Indefinidamente pendentes. Jovens e velhos, desequilibrados e lúcidos, cultos e analfabetos, bonitos e feios, ricos e miseráveis — centenas de desaparecidos arquivados. Os desaparecidos arquivados. Não existe mistério, pontificou o japonês do Distrito e agora mesmo estava diante de um. *Elementar, meu caro Watson!* Não era original a linguagem desses detetives-chavões mas como funcionava bem quando eles compunham o peito antes de começar a hora da verdade. O nó se desatava com a naturalidade de um raio de sol varando a escuridão. O que é escuro fica claro até que o claro volta a escurecer de novo, a claridade é provisória.

Descobriu doutor Leon que os desaparecidos mais complicados são os de comportamento exemplar. Ananta Medrado tinha um comportamento exemplar, organizada como a própria alcachofra com o coração esquivo escondido no círculo fechado das sentinelas das folhas. A operação-busca exigia redobrada paciência. E tempo. Paciência eu tenho, reconheceu Renato Medrado, mas tempo? Tanta coisa lhe acontecera ultimamente, tanta. A delicada operação do velho. Próstata, depois de uma certa idade, ninguém escapava, uma maçada. Em seguida, a reforma do escritório, a poupança estava quase limpa. E ainda por cima,

Vera que era fácil e difícil com esse bicho-preguiça do marido que não parava em Brasília. Seria tão bom se a prima Ananta aparecesse, podia até comemorar a aparição com uma pizza e vinho na Cantina do Nelo, convidaria a Flávia. O doutor Leon com a secretária rebolante e podia convidar até o simpático Ferreirinha que ajudou tanto nas primeiras semanas, gravata-borboleta, sapato bico fino. As conversas na lanchonete da Rua Brigadeiro Tobias, três quarteirões adiante da delegacia. Ferreirinha segurava o copo de cerveja levantando o dedo mínimo em arco com a unha ligeiramente mais comprida do que as outras. E palitava os dentes formando uma gruta sutil com a mão esquerda para proteger a direita que empunhava o palito como se fosse um fósforo aceso. Tantas andanças. Tantas conversas. Quando Ferreirinha queria fazer alguma confidência, punha a mão em concha no canto da boca para não levantar suspeita, que ninguém soubesse que ia dizer um segredo. Pensou em contratá-lo mas o que poderia o bico fino descobrir além do que ele próprio já descobrira. Um tira é bom quando a tarefa é a de seguir alguém. Mas não havia ninguém a ser seguido, ausência de suspeitos e de vítima. Isso sem falar na nota preta que lhe custaria uma investigação assim abstrata.

PrimAnanta. Se ao menos ela estivesse apaixonada, diria, ela se apaixonou. Está feliz ou infeliz mas apaixonada e o paradeiro de um apaixonado é o do imprevisto, quem no mundo poderá encontrá-lo se cisma de se esconder? Ou se ela estivesse morta, diria, ela morreu. E a busca teria terminado na porta da Delegacia das Pessoas Desaparecidas. Ou de Proteção às Pessoas, como prefere o delegado. Pois se ninguém desaparece de fato, conforme ele afirmou, melhor falar mesmo em proteção. Mas não havia nenhuma prova de que estava morta. Nenhuma prova de que estava viva embora preferisse essa hipótese fortalecida pelo seu otimismo, era um otimismo. Logo, Ananta Medrado, branca, brasileira, trinta e um anos, solteira, de instrução superior e situação econômica confortável estacionou em algum lugar desta ou de alguma outra cidade. Ou não estacionou, seguiu em frente embora tivesse deixado o carro na garagem com o rádio e o toca-fitas. Embora não tivesse sacado nesse período qualquer quantia no banco. Embora não levasse bagagem. Embora não tivesse deixado nenhuma explicação falada ou escrita. Embora não tivesse namorados ou amantes, aparentemente era virgem. Embora, embora.

Numa calma noite de quinta-feira ela foi a uma reunião de trabalho com as companheiras do grupo, a violência contra a mulher era o tema principal do encontro. Antes que a reunião acabasse, por volta das oito horas, saiu. Tomou o carro, voltou ao edifício, deixou o carro na garagem e saiu novamente. Ou não saiu. Mas como não saiu? — ficou se perguntando Renato Medrado. Começavam aí as suposições porque nessa segunda vez em que voltou não teve testemunhas. Simplesmente não foi mais vista, como aconteceu com a vaca. Riu, era menino ainda quando houve uma famosa tempestade em Remanso, leu a notícia no jornal local, tempestade tão violenta que destelhou casas, fez tombar carros, derrubou árvores e arrebatou uma vaca no pasto, a vaca foi vista pela última vez subindo na ventania e tomou destino ignorado.

— O senhor está esperando alguém? — perguntou-lhe um enfermeiro que desceu a escada e entrou no pátio. Rodava nos dedos uma caixa de injeção.

— A atriz Rosa Ambrósio. Marcou comigo uma entrevista para as três — disse e olhou o relógio. Atrasou-se.

O enfermeiro pareceu repentinamente desinteressado porque o outro ainda falava quando ele fez um leve movimento de cabeça, Já sei. Enveredou pela alameda. Nos seus primeiros passos deu a impressão de ir ao encontro do homem parado a uma certa distância, imóvel debaixo da árvore. Mudou de rumo no seu passo rápido. Esse também não regula e muito menos o homem-estátua, Renato Medrado concluiu. Quando chegou ao pátio, viu o homem nessa mesma posição, a cabeça grisalha pendida para o peito, os braços ao longo do corpo magro, as pernas abertas e fixas, duras como se dos seus sapatos tivessem brotado raízes que se entranharam terra adentro. Continuava plantado, sem poder se mover até que chegasse alguém, o tomasse com brandura pelo braço e dissesse apenas, Vem.

Enquanto os médicos bebem, os loucos brindam, leu em algum lugar e só guardou a frase porque não entendeu o sentido. Enquanto os médicos se atordoam com seus delírios, os loucos se divertem. À custa desses médicos — seria isso? A loucura ironicamente alegre. E se a priminha pirou como esse homem-árvore e virou vegetal. Em alguma praça do mundo estava Ananta Medrado esparramando as raízes, podia ser em Amsterdã. Deixou cair o cigarro e ficou vendo a brasa amortecida entre os pedregulhos. Ou em Mato Grosso do Sul.

O que tenho eu a ver com essa confusão de feministas e doidos é o que gostaria de saber. Alisou o bigode. A entrevista aí com a atriz — mas o que ela poderia dizer que ele já não soubesse. E não podia estar bem, desintoxicação. Em meio de planos para um retorno triunfal, estudava uma nova peça, segundo informações da agregada preta e do novo secretário com cara de formiga. O secretário antigo ela despediu e caiu em tal estado que desandou a beber. Com isso o pequeno edifício branco andava meio esvaziado, primeiro foi o secretário cultural a fazer a mala. Cordélia partiu em seguida no seu cruzeiro milionário. Ou viajou depois que Ananta desapareceu? Sabia apenas que quando ele lá chegou a moça já não estava mais. E agora, a vez da atriz. Vai dizer que Ananta Medrado era uma pessoa encantadora e que gostava muito de andar, de ouvir música, de ajudar o próximo e de colecionar caixinhas. Dirá ainda que está na clínica porque torceu o pé e se sente estressada mas não dirá nunca que bebeu tudo a que tinha direito. Vai querer saber se gosto de teatro. Não, Madame, vou tratá-la assim, Madame, ela vai gostar. Não, Madame, prefiro mil vezes ver cinema, no teatro fico constrangido. Se o artista está com o cabelo sujo ou se o sapato tem um furo na sola, acabo vendo, sou ligado em minúcias, tudo fica perto demais. No cinema a realidade se distancia, fica menos real.

Volte ao apartamento, aconselhou o delegado. Fale com as pessoas, com os empregados que eles sabem mais do que pode parecer. Concordo mas o duro é descobrir nos disfarces dos devotados cúmplices a verdadeira face dos donos. As palavras sobre Ananta eram mais ou menos as mesmas, uma moça inteligente. Delicada mas de caráter firme. Corajosa. Desaparecer era covardia ou coragem? A rotina se estabelecia aos poucos, Flávia e as companheiras prosseguiam sem Ananta. Ananta Medrado não era insubstituível. Marlene ajudando no apartamento de Flávia e até o carro rodando mais do que rodava antes. Os pacientes achariam outro analista. E Renato Medrado tinha que retomar ainda essa quinta-feira, insistir nessa noite, investigar, reconstituir desde a manhã, quando ela ficou em casa escrevendo. Lendo. Andou cerca de uma hora pelas redondezas depois do almoço, voltou e fez dois telefonemas para a creche, fundou com Flávia uma creche para os filhos de trabalhadores de São Caetano. Descansou na poltrona, como fazia todos os dias. Leu um pouco, lembrou Marlene, era um livro de capa dura, vermelha. Sabe onde está esse livro? ele perguntou e Marlene foi buscá-lo mas voltou de mãos vazias, estava na cabeceira da cama mas pelo visto a doutora enfiou-o de novo na estante e agora era difícil encontrá-lo. Acalmou-a, fora simples curiosidade, o que queria saber mesmo era se teria recebido algum chamado, ninguém telefonou? Dois chamados, sim. Ou três?... No primeiro chamado a voz era de mulher, não deu o nome, uma paciente. No segundo chamado a voz era de homem que também não deu o nome. Diga a ela que é um amigo. Não sabia informar se tinha se demorado nesse chamado porque teve que atender o interfone da copa, era o porteiro avisando que estava subindo um moço, Daniel ou Rafael, não se lembrava do nome do novo paciente. Demorou-se no interfone proseando com o porteiro.

Quando desligou, o moço de pulôver vermelho já tinha entrado. Assim que terminou a sessão com o moço, chegou Marta Martelli. Uma menina esparolada demais, não sei como doutora Ananta aguenta. Marlene não viu quando a moça saiu, estava lá no quarto fazendo umas costuras. Abriu a porta para a vizinha Rosa Ambrósio que chegou com o gato no colo, isso por volta das cinco e meia. Reparou que a sessão com a atriz não demorou muito, talvez meia hora. Estava na cozinha preparando o caldo quente quando entrou Ananta para dissolver uma aspirina na água, pensou em perguntar-lhe se estava indisposta mas achou melhor ficar quieta, a doutora não gostava de perguntas. Ananta já estava vestida para sair, usava uma malha preta, saia de lã cinza-escuro, bem comprida, meias grossas e sapatos fechados, fazia frio e ia esfriar mais ainda. Parecia bem quando tomou na copa o caldo com uma gema. Disse que ia à reunião lá na Avenida Paulista mas não foi além disso, não era pessoa de dar explicações. Quando Marlene se despediu para sair, Ananta já tinha tomado o caldo e comia uma maçã. Respondeu com um Até Amanhã, Marlene. De todas as patroas que já tive essa era de longe a mais calada.

Era. Marlene também falava como se Ananta tivesse morrido, espantou-se Renato Medrado mexendo-se no banco. Cruzou as pernas, E esse pensamento pessimista agora! Ananta estava viva e ainda iam se encontrar e rir, Andei te procurando sem parar, priminha. Não fui nada simpático na nossa infância, te esnobei, estou perdoado? Ela estava viva, lógico, pois se não estivesse viva o que estou eu fazendo aqui? Uma investigação tem que ser solar, monótona mas solar como esteve a própria Ananta nessa famosa quinta-feira. Marlene achou-a mais alegre, um ponto acima dos outros dias, o que era pouco. E muito.

Renato Medrado abriu as mãos no assento do banco para sentir a pedra. A alegria secreta da prima podia vir de um amor secreto, é lógico, e se o seu caso era com um homem casado? Bem escondido, a mulher ciumentíssima na linha de uma Medusa que basta olhar de frente para a rival e a rival já vira pedra. Esta pedra, decidiu ele passando devagar a palma da mão no banco como se passasse a mão numa face. Na face fria da priminha sonsa. Sonsa e estranha, teria mesmo um amante oculto? Um homem feito apenas de referência, bem como ela era feita, referências. Algumas contraditórias, a começar pela roupa que vestia na noite do desaparecimento. Para o crioulo manobrista do estacionamento do casarão, já era noite fechada, sete e meia, por aí, quando chegou a moça magrinha guiando o Gol café com leite, ainda novo. Desceu, entregou a chave e entrou na casa toda iluminada. Usava um blusão de couro preto, jeans e um gorro de lã branca. Conhecia essa moça de outras reuniões mas queria ser franco, prestava mais atenção no carro do que nela, era demais ligado numa máquina. Se sabia que ela era médica? Não tinha a menor ideia que a moça magrinha, que parecia de menor, fosse uma doutora. Nessa noite ela não demorou muito, saiu logo. Deu-lhe uma gratificação, era mão-aberta. Parecia estar com pressa quando saiu tomando o lado esquerdo da avenida, acompanhando a frota. Guiava naquele estilo meio amarrado das mulheres, mulher e japonês não têm firmeza na direção. Devia gostar de música, chegava com o toca-fitas ligado e assim que saía, botava a música outra vez.

No depoimento de Flávia, a sala já estava cheia quando Ananta chegou, cumprimentaram-se de longe e por gestos combinaram um encontro no café depois da reunião. Vestia um pulôver preto e tinha um cachecol de lã enrolado no pescoço, não pôde ver se estava de calças ou saia. Quando a reunião acabou e foi para a mesa do café, alguém informou que Ananta já tinha saído. No dia seguinte a empregada telefonou querendo saber se por acaso Ananta não estava lá, até aquela hora ainda não tinha dado sinal de vida.

Nem sinal de vida nem sinal de morte. O testemunho da mulher meio velhota que servia o café na reunião teve aspectos curiosos, conhecia a doutora do Gol bege, devia ser rica ou pelo menos mais rica do que as outras moças do grupo. Educada mas fechada. Não sabia dizer como estava vestida nessa noite mas viu que ela entrou e saiu logo com um jeito assim urgente de quem vai telefonar ou vai ao toalete e volta em seguida. Não voltou. Devia emprestar o carro aos amigos porque já vira esse mesmo carro com outras pessoas, que pessoas? As moças, os namorados, essa gente toda que mudava de cara e parecia sempre a mesma, os jovens mudam e continuam iguais.

Iguais, murmurou Renato Medrado ao acender outro cigarro, o olhar ansioso na porta da clínica. E essa Dona Rosa Ambrósio a se derreter na sauna. Descruzou e estendeu as pernas para traçá-las de novo, se essa investigação durasse mais um mês acabaria com os pulmões negros. E coração flechado, apaixonado pela prima sem mistério e misteriosa, rejeitada e recuperada. Perdida e achada.

Na página de classificados do jornal havia a seção dos achados e perdidos com um pequeno anúncio que vinha se repetindo por semanas inteiras, dizia apenas, *Seu pai desesperado e sua Mãe doente pedem notícias do querido Victor.* O Victor em tipo graúdo. Se fosse anunciar, começaria assim, Você conhece esta moça? E o retrato de Ananta com seu sorriso branco e o avental. A carinha sem truques de quem sabe que não é bonita e por isso fica bonita. Ou quase. Eu também não sou bonito, nossa família não é de gente bonita, suspirou e riu, Olha aí o suspiro! e voltou-se para o lado do homem-árvore que continuava na mesma posição, a brisa mexendo em seus cabelos cinzentos como mexia na folhagem. Em que Ananta se transformaria? Numa cerejeira? Na Primavera desabrocharia naquelas florinhas miúdas. Ele receberia um cartão, Estou florindo em Tóquio!

Do you know this girl? podia ainda anunciar naquelas revistas policiais que os leitores liam com a curiosidade voraz que só os prováveis mortos provocam. A avalanche de telefonemas e cartas de pessoas de boa vontade oferecendo pistas. Todas falsas.

Em meio das estranhezas, mais esta, ter encontrado a prima só depois que ela desapareceu. Não fosse o sumiço e correriam trinta, cinquenta anos até morrer encarquilhado sem pensar sequer um minuto nela. Quem sabe na velhice, quando começasse aquele processo do velho ficar falando na infância, uma chatice a infância mas parece que não restava coisa melhor a ser lembrada na hora em que presente e futuro entravam pelo cano. Seria a vez das festinhas de aniversário com a criançada da família, do bairro. A festa do Dunga — o que foi feito dele? — com o enorme bolo que era a casa da bruxa, a própria espiando na janelinha de chocolate. Dois bonequinhos de marzipã representando Joãozinho e Maria seguindo de mãos dadas pela trilha fatal feita de açúcar-cândi até dar na porta da bruxa. As crianças estarrecidas diante da fartura da mesa, uma delas ousou estender a mão. Foi o sinal para que o bando se atirasse com fúria aos doces, aos brinquedos, aos balões coloridos subindo em cachos para o teto. Quando procurava pela mãe para que ela guardasse um pouco das coisas que transbordavam dos seus bolsos, viu Ananta. Estava lá atrás, sozinha, o chapéu de papel crepom enterrado até as orelhas, os olhos azuis tão assustados. Roía as unhas. Sentiu que ela quis se aproximar mas afastou-se depressa. Sua prima está chorando, alguém veio lhe dizer e ele fingiu que não escutou, correu para o jardim. A prima tonta como a própria Maria da história, seguindo para a cilada que a bruxa armou. Quer se casar comigo? seria a primeira pergunta que lhe faria quando a encontrasse. Ambos livres. Trinta e um anos e disponíveis, mais um motivo para romper com essa Vera atrelada a esse marido preguiçoso, enfurnado em casa quando o certo seria ficar lá em Brasília tratando da Carta Magna. Que não vai baixar a inflação, uma maçada. Tudo isso. O certo mesmo seria estar agora trabalhando duro e não nesta folga de ficar esperando uma atriz folgada. Se ao menos ela aparecesse. Ananta. Sozinha, não tinha pai nem mãe nem irmãos, nenhum dos chamados herdeiros obrigatórios, sou o parente mais próximo e vivo, logo. Logo, se ela não aparecer e transcorridos dois anos depois do desaparecimento, animou-se ao apertar os olhos feridos pela luz ou pelo cálculo. O prazo legal.

Levantou-se tão bruscamente que fez cair a pasta, apanhou-a. Atirou longe o toco do cigarro, loucura, Ananta Medrado era a mais organizada das mulheres, devia ter providenciado um testamento ou ao menos uma declaração de vontade deixando tudo para o mulherio com seus projetos e obras. E por que essa ideia agora nesta tarde mais louca do que homem-árvore, mais louca ainda do que os caminhantes incluindo-se os enfermeiros. Médicos. Amanhã, vida nova, chega! Ainda iria uma última vez lá no apartamento, prometeu isso ao delegado suspiroso que iria chegar ao miolo da alcachofra. Volto lá, decidiu. O dinheiro, quem sabe? viria do trabalho puro e simples, seria um criminalista famoso. Ou um famoso escritor policial, existem no Brasil escritores policiais? Tebas tem mil portas! escreveu no final da prova de Direito Comercial, em falta de melhor coisa, tacou na última linha, *Tebas tem mil portas!* Mas todas estão fechadas para o senhor, respondeu-lhe o professor Rômulo quando foi reclamar da reprovação. Retribuiu o sorriso e em casa chorou de raiva, Tem mil portas sim senhor e todas vão se abrir para mim!

Voltou-se para a porta do casarão verde. Rosa Ambrósio estava lá. Vestia uma longa bata branca e tinha a cabeça coberta por um pano listrado que caía reto até os ombros num arranjo egípcio. Egípcio, ele frisou e achou graça, lá estava a atriz com a imponência de uma figura de proa, o vento batendo em suas vestes. Assim que ela se adiantou mancando até o topo da escada ele foi ao seu encontro para oferecer-lhe o braço. Seria a exata imagem de uma rainha se uma rainha lhe aparecesse um dia, foi o sentimento que lhe ocorreu ao se aproximar e vê-la melhor debaixo do sol. Beijo-lhe as mãos e digo, Madame, que prazer e que honra! Mas quando ela tirou os óculos escuros, olhou-o nos olhos. Viu neles a artista que sabe quando o outro está representando. Inclinou-se discreto.

— Muito prazer.

18

Renato Medrado deixou a empregada seguir adiante enquanto subiam a escada com a passadeira de veludo cor de mel cobrindo os sucessivos lances. Estranhou, eram apartamentos de altíssimo padrão, ainda assim. Quis saber se o tapete chegava até o sétimo andar, o edifício não tinha sete andares? Dionísia parou para tomar fôlego no vestíbulo do quinto andar. Apontou para a porta com sua maçaneta dourada, Pois é este o apartamento da filha da dona Rosa, o senhor sabe, a Cordélia. Está no estrangeiro, mandou ontem um cartão. Quando chega o calor ela tem esse costume de andar descalça feito índio pelas escadas, a mãe é igual e daí mandaram atapetar tudo, a passadeira vai até o sétimo andar. O senhor ainda não tinha visto este tapete?

Ele tirou os óculos do blazer, examinava a gravura vermelha na parede branca do vestíbulo. Não, não tinha visto, nas outras vezes viera pelo elevador que estava funcionando. Dionísia tirou o lenço do bolso do avental. Limpou o nariz e olhou o relógio-pulseira. Hesitou um pouco.

— Estimo muito este relógio, foi do doutor Gregório.

Renato Medrado inclinou-se para o pulso da mulher.

— Um belo relógio. Quando ele morreu o antigo secretário já trabalhava na casa?

— Por quê?

— Perguntei por perguntar, entendi que esse secretário ajudou muito na carreira dela. Entendi ainda que ele vai voltar.

Dionísia guardou o lenço. Fez um gesto, podiam continuar subindo. Baixou a cabeça enquanto falava.

— Quem disse isso?

— A própria Rosa Ambrósio.

Ela apanhou um palito de fósforo que parecia flutuar no tapete. Guardou-o no bolso.

— Hum. O Diogo telefonou mas não prometeu nada, também não sei. A Cordélia arrumou outro secretário, um moço muito bom lá do Norte, o senhor já falou com ele. Mas acho que quem podia adiantar muita coisa é a dona Flávia que é amiga da sua prima.

— Falei com a Flávia, ficamos amigos. Acabei até sabendo mais da vida dela do que da Ananta... Minha prima era muito fechada também com as amigas, sabia ouvir as confidências. Mas pelo visto não fazia nenhuma. Engraçado é que eu não tinha ideia do quanto essas meninas trabalham, é um esforço admirável. Flávia me contou que as duas iam montar um escritório de defesa da mulher nas salas que Ananta tem no centro da cidade, parece que ela estava transferindo todos os pacientes particulares. Já tinha transferido sua patroa, a Dona Rosa.

— É difícil faltar luz neste prédio mas justo hoje. A sorte é que ainda é dia.

Ele acompanhava a mulher a uma certa distância, não queria apressá-la com aqueles tornozelos inchados. Pediu desculpas por estar dando tanto trabalho, Uma maçada. Tudo isso. Não pretendia vir, Nem posso demorar, estou com a agenda lotada. Mas queria tirar uma dúvida. Então encerro esta procura.

— Mas o senhor não está dando trabalho nenhum, imagina. O médico quer mesmo que eu ande, minha circulação é muito ruim. Na semana que vem entra o novo motorista, elas querem que eu saia só de carro mas já disse que prefiro andar. Vai entrar também um copeiro, é bom ter um homem por perto que homem tem mais força. Vou ficar com tempo para o meu coral.

— A senhora canta?

— No coral da minha igreja. Quando a gente canta Deus escuta.

— Só quando a gente canta é que ele escuta?

Ela começou a tirar as chaves do bolso. Examinava e experimentava uma por uma.

— Então o senhor esteve com Dona Rosa.

Renato Medrado pisava com certa volúpia o tapete cor de mel, tão novo como se tivesse sido colocado naquele dia. No vestíbulo desse sexto andar não havia nenhum quadro.

— É uma mulher muito atraente. E inteligente, está animada com essa nova peça, vai voltar ao teatro, não?

A resposta demorou.

— Vai. Ela torceu o pé quando caiu no banheiro.

— Eu soube mas achei-a muito bem, disse que estava esperando pelo antigo secretário que irá buscá-la.

— Ela disse isso?

— Disse.

Dionísia lançou um olhar atento na direção de Renato Medrado que por sua vez inclinava-se para a fechadura que resistia à nova chave. Ela tirou outra chave do bolso e ele tirou um cigarro. Apertou os olhos e a boca para não rir, Rosa Ambrósio viera mancando com suas belas sandálias e na despedida afastou-se pisando naturalmente, esqueceu o tornozelo afetado? Esqueceu. O que era grave para uma atriz que fingia uma torcedura. Mas se ela não estava no palco não tinha tanta importância assim, desculpou-a complacente. Bebida é o diabo... E não parecia nem um pouco abatida, ao contrário, ia firme como se fosse entrar em cena naquela hora mesmo, assim que ouvisse as três batidas clássicas, toc-toc-toc! Concentrou-se soprando a fumaça para o teto. No teatro atual ainda usavam essas batidas? Tinham abolido tudo, ia chegar o tempo em que dispensariam os atores, ficaria o som. E a imagem, como no cinema. Quis saber se o apartamento do sétimo andar continuava vago, Parece que tem um problema, não tem? Mas Dionísia ainda lutava com as chaves e ouvia só os próprios resmungos. Uma chave é igual à outra, olha aí, nenhuma diferença. Fui trocar os chaveiros e deu nessa confusão, ô meu Pai Celestial! Acho que é esta... Ela disse quando ia sair da clínica?

— Não me falou na data. Conversamos pouco, tinha um médico à espera. Falamos mais sobre Ananta, ela não acredita que tenha acontecido nada de grave à minha prima, tem certeza de que está tudo bem. Sua patroa é um ser solar, tem o sol dentro dela.

Dionísia levantou a cabeça e encarou o visitante.

— O sol?!... Mas isso foi naquele tempo em que o doutor ainda estava vivo, pois é, o sol! Toda noite ela saía tão contente para representar lá no teatro e a filha deles, a Cordélia, andava mais calma e vinha às vezes conversar com o pai, ficavam os três lá no escritório dele, uma beleza!

— Os três?

— Os três, sim, porque vinha também o gato, o Rahul, ficava lá sentado na cadeira dele e eu ia toda contente para a minha igreja. Mas ela começou a beber e veio esse secretário, o Diogo e tudo começou a ficar ruim, até o gato piorou, o senhor está entendendo?

— Estou entendendo. Ela já frequentava aqui o consultório da Ananta?

— É, marcava hora com a doutora e depois telefonava para desmarcar a hora e não conseguia e então me mandava subir com o recado e eu vinha, ah! esse apartamento da doutora eu conheço bem, Minha querida, vai lá e diga que hoje estou gripada, se amanhã ela puder me receber, vai!...

Renato Medrado quis ver nesse instante a cara de Dionísia mas ela já mergulhara na penumbra do hall, tinha encontrado a chave. Seguiu-a e esperou que abrisse as cortinas. Havia um leve perfume no ar. Ele foi entrando e perseguindo o perfume.

— Ah!... E vem daqui, que delícia!

Dionísia já descerrava as cortinas da sala. Voltou-se para as plantas.

— É difícil encontrar orquídeas com perfume mas nasceram estas amarelinhas que são demais perfumadas. Três vezes por semana eu venho regar estes vasos, olha como estão bonitos! Era a Marlene que vinha abrir o apartamento, não presta um lugar ficar fechado muito tempo. Mas agora ela está trabalhando na creche de dona Flávia, o senhor sabia?

— Sabia.

Um apartamento habitado. E desabitado. Tudo em ordem e nos lugares exatos como ela deixara, os objetos da estante vazada. Os livros fechados como se nunca tivessem sido abertos. Os discos. Olhou mais atentamente o divã com sua manta xadrez tão esticada que dava a impressão de nunca ter recebido um corpo na sua superfície felpuda. A rígida cadeira onde ficava e ouvia. Dionísia disse que era preciso cantar para Deus escutar mas entre as pessoas era suficiente a fala. Renato Medrado abriu a gaveta da mesa. As miudezas, Ananta gostava de coisas miúdas. Mais caixinhas enfileiradas. O estojo chinês com as canetas. Uma lata de pastilhas de menta. O saquinho plástico ainda fechado com caramelos de chocolate. Apanhou a agenda.

— Devia ter uma outra assim como esta — ele disse mas Dionísia estava no extremo da sala, inclinada sobre as plantas e comentando meio distraidamente que não devia regá-las muito porque as raízes podiam apodrecer.

Ele guardou a agenda e fechou a gaveta. O telefone mudo. O abajur apagado. O cinzeiro limpo, constrangeu-se ao apagar nele o cigarro. Contudo, novas flores desabrochavam e Marlene já trabalhava em outro endereço e Flávia marcara com as moças do grupo um encontro para essa noite e Rosa Ambrósio se recuperava para a nova peça e Cordélia se queimava na piscina de algum navio. Em algum mar. A rotina. Tudo o que era vivo prosseguia vivendo enquanto Ananta Medrado ia virando lembrança. Com uma fina camada de poeira.

— Se o senhor quiser, eu faço um chá, tem tanto chá na copa.

— Não, dona Dionísia, ainda tenho que passar no meu novo escritório. Ela não está aqui.

— Quem?

— Ananta. Foi o que a sua patroa me disse, é inútil porque ela não está mais no apartamento.

— Pois não está mesmo, uai.

A estante com as caixinhas formando um caracol na prateleira. Ele escolheu a maior da coleção, a caixa de couro cor de vinho. Nem aqui, nem aqui, nem aqui ele foi dizendo e abrindo sucessivamente as caixinhas e espiando dentro. Vazias. Deteve-se diante da última caixa com uma pedra incrustada na tampa. Havia uma pena de pavão dobrada no fundo de prata. O verde-azul intenso do olho da pena de pavão não lembrava Rosa Ambrósio? Baixou a tampa devagar.

— Minha prima deve estar fazendo parte de uma outra paisagem, foi o que ela quis dizer. A sua patroa. A senhora me dá licença? Eu queria ver uma coisa no escritório, não vou demorar.

— Mas está escuro, deixa eu ajudar, doutor. Justo hoje foi faltar a luz, credo!

— Aqui também ela não está — ele disse baixinho quando a luminosidade do sol de fim de tarde entrou brandamente pela janela que a mulher abriu. Ajustou os óculos que escorregavam do nariz para examinar de perto a tapeçaria que ocupava o centro da parede. Então era esse o terrível bosque verde-negro com a sombra de um castelo tão remoto lá no fundo que era mais para ser adivinhado do que vislumbrado. Isto estava na casa dos meus avós, ele disse. Eu era menino quando vi essa tapeçaria. Não tenho ideia como veio parar com Ananta, outro mistério.

— Dona Flávia vai deixar tudo assim como está mas não sei se o senhor já foi informado, as colegas dela vão começar a se reunir neste apartamento. É bom, fica mais alegre, a gente pensa até que ela já voltou.

— A Flávia me falou nisso. Ótima ideia.

Dionísia apanhou um fiapo de linha no tapete. Guardou-o no bolso.

— Ela disse quando ia começar a ensaiar? A dona Rosa.

— Não, só sei o nome da peça, *Doce Pássaro da Juventude*. Nunca vou ao teatro, sou gamado é em cinema mas desta vez eu quero ir. Ficou de mandar os ingressos, eu iria com Ananta, ela está certa de que minha prima vai estar comigo na estreia. Mulher fascinante essa Rosa Ambrósio. Qual será sua idade?

— Esfriou — disse Dionísia puxando o gorro para cobrir as orelhas. — O senhor não quer ver os cômodos lá dentro? Tem ainda a sala com os livros mais a televisão e o quarto dela. Ah, e a saleta de vestir, sem falar nos banheiros, este apartamento é enorme.

Renato Medrado tinha a mesma expressão bem-humorada com que saiu da clínica. A longo prazo este país vai melhorar, disse Rosa Ambrósio na despedida. Mas a médio prazo já estaremos todos mortos.

— Acho que o que eu queria ver, já vi. O que não encontro em parte alguma são os retratos, por acaso a senhora viu algum retrato neste apartamento? Nem espelhos nem retratos.

— Que eu me lembre, não tem mesmo nenhum retrato mas se o senhor for no nosso... Se quiser voltar, doutor, não carece pedir licença.

Renato Medrado parou de repente. E esse quadro estranhíssimo de um café noturno em alguma esquina de algum beco em Nova York. Havia vermelho mas nesse café até a cor vermelha era fria. A solidão medíocre.

— Já encerrei, dona Dionísia. Acho que já falei com todos.
— Falta o Rahul.
— Rahul?
— É o gato.
— Mas gato não tem palavra!
— Esse até que fala demais às vezes.
Ele pôs a mão no ombro da mulher sentindo-lhe o riso frouxo, Ah, dona Dionísia, pense na gente quando cantar. Ela encarou-o com firmeza. Só penso nos outros quando canto.
— É soprano?
— O maestro do coral disse que sou contralto. Cantei para o Diogo que me pediu e ele disse que se eu fosse cantar na boate ia ficar rica, achou minha voz igual à de uma cantora famosa, uma negra americana que ele ouve muito.
— A senhora ainda fica? Vou me despedindo.
— Quero abrir as janelas dos cômodos lá do fundo, desço daqui a pouco. Olha o elevador funcionando! Chegou a luz, que bom. Até um dia desses, doutor!
Quando Renato Medrado atravessou o jardim do edifício, viu o porteiro que regava as plantas. O homem desligou o esguicho d'água e fez-lhe um sinal.
— Alguma novidade, doutor? Nenhuma notícia?
— Ainda não. Mas não perdi a esperança.
— Isso é o que conta. Se eu puder ajudar, estou às ordens.
Renato Medrado aproximou-se mais, inclinando-se para ver o canteiro redondo e raso, irisado sob o resto do sol, mas não era um canteiro de amor-perfeito? Colocou os óculos, Amor-Perfeito. A flor da minha infância, a mamãe adorava essa flor, tinha tanto no nosso jardim! O canteiro é recente? Esse eu ainda não tinha visto e reparo muito em plantas.
O homem enxugou as mãos nas mangas arregaçadas da camisa.
— Este canteiro existe desde que vim trabalhar neste edifício e já lá vão três anos.
Renato Medrado agachou-se. Surpreendente, murmurou e sorriu para as máscaras amarelo-roxas das florinhas que

pareciam encará-lo com a mesma curiosidade, pingando água. Mas não era mesmo incrível? Não ter visto o canteiro das pequenas mascaradas que sempre estiveram ali. O que mais teria deixado escapar?

O homem voltou a pegar o esguicho. A dona Ananta também gosta muito dessa flor, o senhor quer levar uma? Ele agradeceu, ia ao escritório no centro da cidade, ela ia murchar.

— Vai vagar um apartamento, quem sabe o senhor se interessa. Este é um lugar muito sossegado, doutor.

— Estou vendo — disse Renato Medrado e encarou o homem. Voltou-se bruscamente para a janela do quarto andar com a impressão de que alguém o observava através da cortina, quem? O sol batia afogueado na vidraça mas agora que o incêndio ia-se apagando ele podia ver melhor a sombra, Dionísia? Desfranziu os olhos ofuscados, o vulto era pequeno demais para ser gente. — É o gato.

Sobre Lygia Fagundes Telles e Este Livro

“A protagonista de Lygia Fagundes Telles perde-se, ela própria, no tempo perdido. Sabe que não pode recuperá-lo nem restabelecê-lo (embora a narrativa se encerre com a vaga sugestão de que isso pode acontecer) e procura envolver na paranoia voluntária o seu sentimento de culpa e de malogro. O dado essencial da intriga — a artista decadente e alcoólatra — nada tem de original, mas, a partir daí, a autora escreveu não só o seu melhor romance, mas um dos melhores nos dias que correm, arquitetando-lhe a estrutura com fina sabedoria, redigindo-o no idioma fluente dos grandes prosadores.”

WILSON MARTINS

"Lygia usa Rosa Ambrósio como lugar-tenente das questões que vem trabalhando desde *As Meninas*, seu livro mais famoso. Desliga o cérebro e ergue as antenas com que rastreia o mundo. Sabe que a literatura não tem sexo. Escreve despojada de projetos, entregando-se ao trato inebriante da palavra."
JOSÉ CASTELLO

"Na visão narrativa do gato Rahul está a grande invenção, seja ao nível da técnica, seja em relação à problemática. Seu aparecimento no capítulo 2 é uma das mais belas passagens do livro, não tanto pelo insólito mas pela poesia, vitalidade e paixão."
NELLY NOVAES COELHO

"Para evitar uma terceira pessoa que levasse até as últimas consequências a crueldade no retrato, Lygia busca fazer com que a narrativa do naufrágio não perca o bom humor de um tango em baile de carnaval. Imagina um truque inusitado que resulta admirável. O livro comportaria um outro narrador: o gato."
SILVIANO SANTIAGO

"É tarde no planeta!, repete Gregório que, como os delicados do poema de Drummond, preferiu morrer. Ao contrário dele, Lygia Fagundes Telles escolhe viver assumindo sua condição de escritora no que ela tem de mais difícil, digno e corajoso: a transgressão. A primeira dama enlouqueceu. Deus a abençoe: essa loucura é sagrada."
CAIO FERNANDO ABREU

"*As Horas Nuas* me fascinou. É talvez o seu melhor livro, pela riqueza e flexibilidade das estruturas narrativas e da linguagem. Uma desenvoltura, uma terna crueldade, uma ironia e um delicado impudor — tudo isso, somado a um fôlego impressionante, faz dele um livro de hoje."

URBANO TAVARES RODRIGUES

Entre a Nudez e o mito

POSFÁCIO / JOSÉ PAULO PAES

Para fins de ilustração didática, poder-se-ia relacionar, com autores que as exemplificassem paradigmaticamente, cada uma das preocupações maiores da ficção brasileira de 1945. Este é, como se sabe, o rótulo cronológico mais comumente usado para diferençar os ficcionistas do imediato pós-guerra de seus antecessores da geração de 1930, voltados de preferência para a problemática social e econômica, ao passo que aqueles se iriam debruçar antes sobre questões de ordem psicológica e existencial. Mas a hegemonia de determinada preocupação num autor não significa a ausência de outras preocupações além da hegemônica. Trata-se de uma questão de ênfase, não de exclusividade. Assim é que, em Osman Lins e Autran Dourado, sobressai a preocupação com a arquitetura da narrativa, o risco do bordado, conforme dão a entender obras do tipo de *Avalovara* e *A Barca dos Homens.* Já em Clarice Lispector e Guimarães Rosa é a perquirição interior e existencial, angústia das opções morais que avultam no primeiro plano de, por exemplo, *A Paixão Segundo G. H.* ou *Grande Sertão: Veredas.* Em Antonio Callado, o existencial e o político-social confluem, isso desde *Assunção de Salviano.* O grotesco, cujo campo se polariza no obsessivo, de um lado, e, de outro, no ridículo, é explorado sistematicamente por Dalton Trevisan, enquanto o obsessivo em estado puro se constitui no território de eleição de Breno Accioly. O fantástico, por sua vez, a oscilar ambiguamente, para além do simbólico, entre o absurdo e o sobrenatural, encontra em Murilo Rubião e José J. Veiga seus representantes de primeira hora.

Salta à vista que ficam fora desse esquema simplificador autores como Ricardo Ramos, Maria Alice Barroso, Julieta de Godoy Ladeira, Rubem Fonseca, Nélida Piñon e outros, em cujas obras as preocupações mencionadas ocorrem compositamente, as mais das vezes, sem que nenhuma delas assuma hegemonia declarada, a não ser de maneira episódica. No mesmo caso está Lygia Fagundes Telles, como se pode ver em *As Horas Nuas*. Quarto de seus romances e décimo oitavo título de sua bibliografia de autora, *As Horas Nuas* nos traz a romancista na maturidade da sua arte, uma arte em que as preocupações típicas de sua geração literária concorrem sinfonicamente. Com esse advérbio, busca-se destacar menos a copresença de tais preocupações de base do que seu rico e dinâmico entrelaçamento numa escrita em que a ausência de ênfases hegemônicas não significa absolutamente falta de originalidade. Ao contrário, o estilo narrativo de Lygia Fagundes Telles é inconfundível, e em *As Horas Nuas* alcança o ponto de mestria, conforme perceberá o leitor mais sensível aos valores da forma.

Alternada com a do autor onisciente, a técnica do fluxo de consciência é ali habilmente posta a serviço da perspectiva ficcional. Ou seja, de bem dosada anteposição de um primeiro plano iluminado pelo *spotlight* da autoanálise e a um fundo de cena em cujas obscuridades o mítico e o inexplicável se emboscam. O fluxo de consciência é ora implícito, ora verbalizado, conforme o leitor partilha ora as introspecções de Rosa Ambrósio, protagonista do romance, ora lhe ouça as confidências a Ananta Medrado, sua analista, ou as memórias que vai ditando a um gravador, memórias a que ela pensa dar o título de *As Horas Nuas*, para lhes realçar o caráter de desnudamento ou *striptease* emocional. Rosa é uma atriz de meia-idade que, após a morte do marido, o rompimento com o amante, a comunicação cada vez menor com a filha única e o afastamento mais ou menos compulsório dos palcos, se vê às voltas com os fantasmas da solidão, do envelhecimento e do ostracismo. Para poder fazer-lhes frente, ela tem de beber cada vez mais.

A testemunha fiel de sua solidão alcoólatra é um gato, Rahul, a cuja interioridade também temos acesso por via de seu próprio monólogo interior, que vem introduzir a dimensão do fantástico no realismo psicológico — se é que o rótulo ainda significa alguma coisa em literatura — de *As Horas Nuas*. Mas um fantástico temperado de humor: Rahul se define ironicamente em certo momento como "um gato memorialista e agnóstico". O memorialismo corre por conta de suas vidas anteriores, que ele se compraz em recordar o tempo todo. Aqui é fácil perceber um aproveitamento *ad hoc*, circunstancial, da crença popular nas sete vidas do gato. Esse tipo de aproveitamento é comum aliás no estilo de Lygia Fagundes Telles, em cuja elaborada tessitura a metáfora nasce com frequência dos próprios elementos da circunstância a que ela busca dar voz. Um bom exemplo aparece logo nas primeiras páginas do romance, quando Rosa Ambrósio, refletindo acerca de como o bem e o mal se misturam ambiguamente na vida real, compara-os a dois bibelôs que enfeitavam a vitrine de sua mãe: "Dois gordos menininhos do cabelo encaracolado, cada qual na sua pedra, o cestinho de morangos no colo e o sorriso. Enfeitando a mesma prateleira, Deus do lado direito e o Diabo por perto com a sua sedução sem intenção. Sem malícia".

A ocasionalidade desse lance metafórico é ilustrativa da finura da arte de Lygia Fagundes Telles, na qual a simplicidade dos meios contrasta com a complexidade dos fins, quais sejam os de iluminar os meandros da interioridade, os impasses existenciais, as crises de identidade. As protagonistas mais típicas de sua ficção são mulheres bem-postas na vida, às quais não preocupa a luta pela subsistência e que por isso dispõem de lazeres para o cultivo de suas frustrações reais ou imaginárias. Entretanto, somos levados, pela mestria da romancista, para além do que haja de frívolo nisso. Ela nos conduz até o dolorido ponto de fuga onde o frívolo se transmuda no humano, demasiadamente humano capaz de, como no verso famoso, converter o *hypocrite lecteur* no "*mon semblable, mon frère*" da personagem de ficção. Esse processo de aliciamento atua com rara eficácia ao longo de *As Horas Nuas* para fazer Rosa Ambrósio emergir de seu autodesnudamento como uma figura rica de substância dramática.

Todavia, o *tour de force* de Lygia Fagundes Telles em *As Horas Nuas* me parece estar no ardiloso desvio do centro de interesse da narrativa na parte final. Quando se esperava que então, mais do que nunca, o centro do palco fosse ser ocupado pela protagonista, eis que ali avulta uma personagem secundária, Ananta Medrado, a psicanalista de Rosa. De sua interioridade, tivera o leitor apenas alguns vislumbres ocasionais, já que o foco narrativo ficara a maior parte do tempo voltado para Rosa Ambrósio. Isso dá a Ananta Medrado uma opacidade que vai beirar o inexplicável quando ela subitamente desaparece, sem que se tenha qualquer ideia dos motivos de seu desaparecimento, ao que tudo indica voluntário. Sua vida tão organizada, tão metódica, seu autodomínio e a discrição do comportamento só servem para aumentar o mistério. É como se a romancista quisesse passar ao leitor o encargo de inventar, por conta própria, alguma explicação do inexplicável sumiço. Mas para ajudá-lo nisso cuidou de semear antes algumas pistas significativas ao longo da narrativa. A primeira é a circunstância de Ananta Medrado morar sozinha, não ter nenhum envolvimento de ordem amorosa e parecer estar asceticamente concentrada no trabalho. Outro dado significativo é a militância feminista, preocupada particularmente com as violências sofridas pela mulher às mãos do homem: ela presta assistência psicológica gratuita às vítimas atendidas pela Delegacia da Mulher. Quando o associamos a essas duas circunstâncias, ganha um relevo de paradoxo o fascínio de Ananta pelo misterioso vizinho do andar acima de seu consultório. Ela nunca chegou a vê-lo, mas ouve-lhe os ruídos que faz quando chega em casa, estranhos ruídos que ela interpreta como as fases sucessivas da metamorfose dele em cavalo. E pronta e irracionalmente se apaixona por esse invisível homem-cavalo.

Desponta com isso em *As Horas Nuas*, complementarmente ao fluxo de consciência de Rahul, o gato irônico, uma segunda dimensão do fantástico, não verbalizada nem analítica como a primeira, mas apenas insinuada, inarticulada, enigmática. Seu sentido refoge à análise e à explicitação, confinado que fica ao plano ambíguo do poético, onde o "poderia" e o "deveria ser" se confundem inextricavelmente com o "é". Esse é também o plano do mítico a que pertence o obscuro vizinho de Ananta, centauro a figurar mitologicamente o predomínio das pulsões inconscientes do instinto sobre as forças racionais da consciência. Que Ananta, uma investigadora profissional do inconsciente, acabe seduzida por uma de suas figurações míticas e se evada do mundo da racionalidade para supostamente ir-lhe ao encontro — eis um lance fabular cuja poesia vai mais fundo que a das metáforas à flor do texto. Vai até as profundezas habitadas pelos obscuros deuses do sangue que D. H. Lawrence cultuou. Nas sombras desse mundo ínfero, onde as luzes superficiais do feminismo jamais penetraram, é onde se trava, com uma violência que os interditos sociais não conseguiram obliterar de todo, a luta biológica dos sexos. São essas sombras de fundo de cena que, por contraste, dão relevo ao desnudamento psicológico sobre o qual incide o *spotlight* de *As Horas Nuas*. Um relevo irônico, impõe-se reconhecer, já que, para afirmar-se, a luz carece do contraste das trevas, mas estas, preexistentes a todo contraste, dele não precisam. Por via, assim, da problematização dos jogos de claro-escuro, o refinado psicologismo da arte de Lygia Fagundes Telles aponta autocriticamente para seus próprios limites. Mas não se contenta em apontá-los: cuida de superá-los pela incorporação do mítico ao seu espaço de confluências, embora sem atender a nenhuma injunção da moda, ciosa tão só de suas necessidades internas.

A constante superação de si mesma parece ser, de resto, a lei da obra em progresso de Lygia Fagundes Telles, onde *As Horas Nuas* aparecem como o ponto mais alto até agora — o que não é dizer pouco.

Texto originalmente publicado em *O Estado de S. Paulo*, em 25 de novembro de 1989.

JOSÉ PAULO PAES NASCEU em Taquaritinga, interior de São Paulo, em 1926, e morreu na capital do estado, em 1998. Publicou mais de dez livros de poesia, inclusive para o público infantojuvenil. Destacou-se também como ensaísta e tradutor.

Querida Lygia:

Nesta ilustre casa de ensino, na qual você foi minha caloura, um galardão de alta qualidade traz hoje um testemunho a mais do apreço em que é tida a obra literária que a situou na linha de frente dos escritores brasileiros. Para um amigo de tantos anos, como eu, a alegria é grande, pois de certo modo me sinto elevado acima de mim por tê-lo recebido também, e assim estar ao seu lado. E não posso deixar de refletir que quando estávamos começando aqui a vida intelectual, não poderíamos sequer imaginar que aqui voltaríamos um dia para receber prêmio tão consagrador quanto este. Seja bem-vinda, querida amiga, à confraria do Juca Pato.

A sua posição na literatura brasileira contemporânea é das mais singulares, porque, como tenho escrito, a sua obra é forte sem contundência, é moderna sem vanguardismo, é original sem subversão do discurso. O crítico musical Alfred Einstein escreveu que Mozart foi

Discurso pronunciado por Antonio Candido por ocasião da entrega do prêmio Juca Pato a Lygia Fagundes Telles, em 30 de novembro de 2009, no Salão Nobre da Faculdade de Direito da Universidade de São Paulo.

um caso surpreendente de inovador ancorado na tradição; um criador capaz de atingir os níveis mais elevados de expressão sem sair de uma linguagem timbrada pela mais comunicativa naturalidade. Os caminhos do experimentalismo são importantes e mesmo necessários, sobretudo em nosso tempo de mudança contínua. Mas a capacidade de ser original e mesmo surpreendente dentro de um universo estilístico, digamos estabelecido, é mais rara. E é o seu caso.

Graças ao instrumento expressional que apurou, você pôde harmonizar de maneira própria os caminhos da realidade e os da fantasia. Pôde ser uma analista penetrante da personalidade e seu meio, tanto na rotina quanto na exceção; e pôde produzir certos textos que fazem o leitor indagar se está em face de depoimento ou fabulação. É que você possui o dom raro, que Manuel Bandeira, por exemplo, possui na poesia, de não apenas representar o real de maneira direta, mas de naturalizar o insólito e de conferir ao cotidiano um toque eventual de flutuante irrealidade. Para usar a imagem do aluno de uma das primeiras turmas desta Faculdade, na primeira revista acadêmica publicada aqui, você é capaz de arar os campos da fantasia.

Da longa fantasia os campos ara,

foi o conselho que deu em verso a um colega o estudante Francisco Bernardino Ribeiro em 1833, na *Revista da Sociedade Filomática*. Veja como o ato simples e material de trabalhar com o arado entra numa rica atmosfera metafórica, pois ele não é chamado a sulcar a terra, e sim o espaço imponderável do imaginário. Essa disposição que une de maneira tão feliz o trabalho penoso sobre o real com as asas da invenção poética é um dos timbres da sua obra, na qual esvoaçam às vezes sobre a verdade bolhas de misteriosa estrutura. Foi essa disposição que a tornou capaz de representar com tanta autenticidade os dramas da vida e, ao mesmo tempo, desprender-se dela.

Por falar em literatura de estudante e por falar em primeiros ensaios literários, não resisto à tentação de contar um caso que é motivo de desvanecimento em minha carreira de crítico.

Eu tinha 24 ou 25 anos e era encarregado da crítica semanal na *Folha da Manhã*. Nesta Faculdade houve então entre os estudantes um concurso de três gêneros: conto, poesia e ensaio, devendo as produções de cada gênero ser avaliadas por um único julgador. Os jovens pediram ao jovem que eu era para me encarregar dos contos, e eu aceitei. Os contos eram muitos e em geral bem modestos, como acontece nesses titubeantes certames juvenis. Mas um deles me chamou a atenção pela inesperada qualidade e eu decidi indicá-lo para o prêmio. Intitulava-se "Os Mortos", de autor oculto por pseudônimo, segundo estipulava o regulamento do concurso, e vinha manuscrito, porque naquele tempo a máquina de escrever era rara entre os moços. Estava capeado por uma folha dupla de papel almaço pautado, na qual um desenho a lápis vermelho representava três velas acesas em planos diversos, ligadas por uma linha ascendente que as fazia parecer picos de cordilheira. Algum tempo depois recebi o telefonema meio acanhado de uma voz feminina indagando sobre a minha decisão, pois o prazo se esgotara e os concorrentes estavam ansiosos. Respondi que de fato me atrasara, que ainda não tinha redigido o parecer, mas já chegara a uma decisão e não fazia segredo dela: o conto que indicaria para o prêmio se intitulava "Os Mortos". Não me lembro se do outro lado a voz informou que era a autora. Lembro que, feita a identificação, constatou-se que se tratava de uma mocinha chamada Lygia Fagundes, da qual eu nunca ouvira falar. O tempo passou, Lygia se tornou Lygia — e eu fui me sentindo cada vez mais ancho, por ter tido a sorte de discernir uma grande vocação no nascedouro.

Querida Lygia: quanta água correu, de lá para cá...

A Autora

Lygia Fagundes Telles nasceu em São Paulo e passou a infância no interior do estado, onde o pai, o advogado Durval de Azevedo Fagundes, foi promotor público. A mãe, Maria do Rosário (Zazita), era pianista. Voltando a residir com a família em São Paulo, a escritora fez o curso fundamental na Escola Caetano de Campos e em seguida ingressou na Faculdade de Direito do Largo São Francisco, da Universidade de São Paulo, onde se formou. Quando estudante do pré-jurídico cursou a Escola Superior de Educação Física da mesma universidade.

Ainda na adolescência manifestou-se a paixão, ou melhor, a vocação de Lygia Fagundes Telles para a literatura, incentivada pelos seus maiores amigos, os escritores Carlos Drummond de Andrade, Erico Verissimo e Edgard Cavalheiro. Contudo, mais tarde a escritora viria a rejeitar seus primeiros livros porque em sua opinião "a pouca idade não justifica o nascimento de textos prematuros, que deveriam continuar no limbo".

Ciranda de Pedra (1954) é considerada por Antonio Candido a obra em que a autora alcança a maturidade literária. Lygia Fagundes Telles também considera esse romance o marco inicial de suas obras completas. O que ficou para trás "são juvenilidades". Quando da sua publicação o romance foi saudado por críticos como Otto Maria Carpeaux, Paulo Rónai e José Paulo Paes. No mesmo ano, fruto de seu primeiro casamento, nasceu o filho Goffredo da Silva Telles Neto, cineasta, e que lhe deu as duas netas: Lúcia e Margarida. Ainda nos anos 1950, saiu o livro *Histórias do Desencontro* (1958), que recebeu o prêmio do Instituto Nacional do Livro.

O segundo romance, *Verão no Aquário* (1963), prêmio Jabuti, saiu no mesmo ano em que já divorciada casou-se com o crítico de cinema Paulo Emílio Sales Gomes. Em parceria com ele escreveu o roteiro para cinema *Capitu* (1967), baseado em *Dom Casmurro*, de Machado de Assis. Esse roteiro, que foi encomenda de Paulo Cezar Saraceni, recebeu o prêmio Candango, concedido ao melhor roteiro cinematográfico.

A década de 1970 foi de intensa atividade literária e marcou o início da sua consagração na carreira. Lygia Fagundes Telles publicou, então, alguns de seus livros mais importantes: *Antes do Baile Verde* (1970), cujo conto que dá título ao livro recebeu o Primeiro Prêmio no Concurso Internacional de Escritoras, na França; *As Meninas* (1973), romance que recebeu os prêmios Jabuti, Coelho Neto da Academia Brasileira de Letras e "Ficção" da Associação Paulista de Críticos de Arte (APCA); *Seminário dos Ratos* (1977), premiado pelo PEN Clube do Brasil. O livro de contos *Filhos Pródigos* (1978) seria republicado com o título de um de seus contos, *A Estrutura da Bolha de Sabão* (1991).

A Disciplina do Amor (1980) recebeu o prêmio Jabuti e o prêmio APCA. O romance *As Horas Nuas* (1989) recebeu o prêmio Pedro Nava de Melhor Livro do Ano.

Os textos curtos e impactantes passaram a se suceder na década de 1990, quando, então, é publicado *A Noite Escura e Mais Eu* (1995), que recebeu o prêmio Arthur Azevedo da Biblioteca Nacional, o prêmio Jabuti e o prêmio Aplub de Literatura. Os textos do livro *Invenção e Memória* (2000) receberam os prêmios Jabuti, APCA e o "Golfinho de Ouro". *Durante Aquele Estranho Chá* (2002), textos que a autora denominava de "perdidos e achados", antecedeu seu livro *Conspiração de Nuvens* (2007), que mistura ficção e memória e foi premiado pela APCA.

Em 1998, foi condecorada pelo governo francês com a Ordem das Artes e das Letras, mas a consagração definitiva viria com o prêmio Camões (2005), distinção maior em língua portuguesa pelo conjunto da obra.

Lygia Fagundes Telles conduziu sua trajetória literária trabalhando ainda como procuradora do Instituto de Previdência do Estado de São Paulo, cargo que exerceu até a aposentadoria. Foi ainda presidente da Cinemateca Brasileira, fundada por Paulo Emílio Sales Gomes, e membro da Academia Paulista de Letras e da Academia Brasileira de Letras. Teve seus livros publicados em diversos países: Portugal, França, Estados Unidos, Alemanha, Itália, Holanda, Suécia, Espanha e República Checa, entre outros, com obras adaptadas para tevê, teatro e cinema.

Vivendo a realidade de uma escritora do terceiro mundo, Lygia Fagundes Telles considerava sua obra de natureza engajada, comprometida com a difícil condição do ser humano em um país de tão frágil educação e saúde. Participante desse tempo e dessa sociedade, a escritora procurava apresentar através da palavra escrita a realidade envolta na sedução do imaginário e da fantasia. Mas enfrentando sempre a realidade deste país: em 1976, durante a ditadura militar, integrou uma comissão de escritores que foi a Brasília entregar ao ministro da Justiça o famoso "Manifesto dos Mil", veemente declaração contra a censura assinada pelos mais representativos intelectuais do Brasil.

A autora já declarou em uma entrevista: "A criação literária? O escritor pode ser louco, mas não enlouquece o leitor, ao contrário, pode até desviá-lo da loucura. O escritor pode ser corrompido, mas não corrompe. Pode ser solitário e triste e ainda assim vai alimentar o sonho daquele que está na solidão".

Lygia Fagundes Telles faleceu em 3 de abril de 2022, em São Paulo.

Na página 253, retrato da autora feito por Carlos Drummond de Andrade na década de 1970.

Esta obra foi composta
em Utopia e Trade Gothic
por warrakloureiro
e impressa em ofsete pela
gráfica Paym sobre papel
Pólen Bold da Suzano S.A.
para a Editora Schwarcz
em abril de 2022